만만하게 시작하는

왕초보 영문법 패턴

| 회화편 |

만만하게 시작하는

왕초보 영문법 패턴 |회화편|

2021년 11월 10일 초판 1쇄 인쇄
2023년 11월 15일 초판 7쇄 발행

지은이 이서영
발행인 손건
편집기획 김상배, 장수경
마케팅 최관호, 유재영
디자인 이성세
제작 최승용
인쇄 선경프린테크

발행처 ***Lan****Com* 랭컴
주소 서울시 영등포구 영신로 34길 19
등록번호 제 312-2006-00060호
전화 02) 2636-0895
팩스 02) 2636-0896
홈페이지 www.lancom.co.kr

ISBN 979-11-89204-94-5 13740

읽기만 해도 회화에 강해지는 문법이 쏙 들어옵니다!

만만하게 시작하는 왕초보 영문법 패턴

회화편

이서영 지음

LanCom
Language & Communication

어떻게 하면 효과적으로 영어회화 기초실력을 기를 수 있을까?

어떻게 하면 효과적으로 영어회화 기초실력을 기를 수 있을까? 하는 문제는 영어를 공부하는 대부분의 사람들이 가장 많이 고민하는 것이 아닐까 합니다. 저희는 이 문제에 대해 생각한 끝에 영어패턴을 적절한 순서대로 외우는 것이 가장 확실한 방법이라는 결론에 이르렀습니다.

이 책은 Unit 01부터 Unit 40까지 이루어져 있습니다. 이 책에 단계적으로 구성되어 있는 문법과 예문을 순서대로 배워 나간다면 일상회화에 필요한 표현을 효과적으로 마스터할 수 있습니다.

각 Part는 문법 설명과 예문, 패턴, 회화, 칼럼으로 구성되어 있습니다.

Unit 01부터 Unit 24까지의 Part1에서는 주인공의 미국 홈스테이 생활과 여행을 중심으로 회화가 진행되고, Unit 25부터 Unit 40까지의 Part2에서는 귀국한 주인공이 회사에서 겪는 여러 가지 사건과 한국 소개 등의 회화로 구성되어 있습니다.

문법은 필요한 것만을 간결하게 설명했습니다. 문법 설명 다음에는 외국 가정 문화, 여행, 회사에 관련이 있는 도움이 되는 예문을 수록했습니다. 예문은 일상생활에 자주 사용할 수 있는 자연스러운 표현만을 골랐습니다. 우리말을 읽고 즉시 그 표현이 입에서 나올 수 있도록 영문을 확실히 외워 주십시오. 영어회화의 기초를 익히는 데 이 책이 독자들에게 큰 도움이 되기를 바랍니다.

Contents

Part 01 영문법 패턴 기본다지기

Part 01

영문법 패턴 기본다지기

Unit 01

I'm ~. 나는 ~입니다.

1. 우리말 1인칭과 영어의 1인칭

우리말에는 상황이나 분위기 등에 따라 '나는, 저는' 등과 같이 1인칭에도 여러 가지 말이 있습니다. 이에 비해 영어에서 1인칭은 'I'만 있습니다. 또한 우리말의 1인칭은 생략되는 경우가 많고 자신을 소개할 때에도 '이미라입니다.' 또는 '이미라라고 합니다.'라고 하는 게 보통이지만, 영어에서는 누구에 대해 말하고 있다는 점을 중요하게 생각하므로 자신에 대해 말하는 경우에는 'I'를 생략하지 않습니다.

2. be동사의 현재형

am, are, is는 be동사(~이다, ~있다, ~존재하다)라고 하며 영어에서 가장 많이 쓰이는 동사입니다. be동사는 주어에 따라 다르게 쓰이는데 I가 주어일 때는 am, you가 주어일 때는 are, he나 she, it이 주어일 때는 is를 사용합니다.

I **am** a student. 나는 학생입니다.

I'**m** fat. 나는 뚱뚱합니다.

* I am은 줄여서 I'm으로 쓸 수 있습니다.

3. be동사의 부정문

부정문은 be동사 뒤에 not을 붙여 만듭니다.

I **am** a doctor. 나는 의사입니다. 〈평서문〉

I **am not** a doctor. 나는 의사가 아닙니다. 〈부정문〉

* I am not ~.은 I amn't ~.라고 하지 않고, I'm not ~.이라고 축약해서 씁니다.

4. be동사의 의문문

의문문에서는 be동사를 주어 앞으로 놓고 문장 끝에 물음표(?)를 붙입니다.

I am tall. 나는 키가 큽니다. 〈평서문〉

Am I tall? 내가 키가 큽니까? 〈의문문〉

대답은 긍정일 경우 Yes, you are tall. 부정일 경우 No, you are not tall.이라고 해야 하지만, 보통 줄여서 Yes, you are. No, you are not이라고 합니다. 여기서 Am I ~?(내가 ~합니까?)로 물었기 때문에 Yes[No], you are (not) ~.(네[아니오], 당신은 ~합니다[하지 않습니다].)로 대답해야 한다는 것에 주의합시다.

부정문은 어떻게 만들까요?

- 〈**be**동사〉의 부정문 ➔ **be동사 + not**

  I **am not** a teacher. 나는 선생님이 아닙니다.

- 〈조동사〉의 부정문 ➔ **조동사 + not**

  I **can not** run. 나는 뛸 수 없습니다.

- 〈일반동사〉의 부정문 ➔ **do / does + not + 동사원형**

  I **do not** sleep now. 나는 지금 자지 않습니다.

패턴으로 회화감각 익히기

Pattern 1 I'm ~.

나는 ~입니다.

문장이 어떤 내용을 담고 있느냐에 따라 문장의 종류를 평서문, 의문문, 명령문, 기원문, 감탄문으로 나눌 수 있습니다. 아래 문장들은 사실을 그대로 전달하는 평서문으로 평서문에는 긍정문과 부정문이 있는데 하나의 사실을 인정하는 문장을 긍정문이라고 합니다. 주어가 1인칭 'I'일 때에는 동사인 am이 함께 옵니다. (* 문장의 종류 → Unit 2 참고)

명사

- **I'm** Mira Lee from AAA Company. 나는 AAA 사의 이미라입니다.
  아임 미라 리 프럼 에이에이에이 컴퍼니
- **I'm** a secretary. 나는 비서입니다.
  아임 어 쎄크러터리
- **I'm** an engineer. 나는 엔지니어입니다.
  아임 언 엔지니어ㄹ
- **I'm** Korean. 나는 한국인입니다.
  아임 코리안
  형용사
- **I'm** sick. 나는 몸이 아픕니다.
  아임 씩ㅋ
- **I'm** lost. 나는 길을 잃었습니다.
  아임 로스트
- **I'm** in the planning department. 나는 기획부에서 일하고 있습니다.
  아임 인 더 플래닝 디파ㄹ트먼트
  전치사구
- **I'm** in favor of your idea. 나는 당신 생각에 찬성입니다.
  아임 인 페이버ㄹ 어브 유어ㄹ 아이디어

- **I'm** on a diet. 나는 다이어트 중입니다.
  아임 온 어 다이어트
- **I'm** on your side. 나는 당신편입니다.
  아임 온 유어ㄹ 사이드

Words ++

secretary [sékrətèi] *n.* 비서
department [dipá:rtmənt] *n.* 부, 과
in favor of ~에 찬성하여
side [said] *n.* ~편

Pattern 2 I'm not ~.

나는 ~이 아닙니다.

Pattern 1과는 반대로 '~가 아니다 / ~하지 않다'와 같이 하나의 사실을 부정하는 문장은 부정문이라고 합니다. 부정문을 만들 때는 not을 사용하며 be동사 뒤에 위치합니다.

- **I'm not** Mira. 나는 미라가 아닙니다.
  아임 낫 미라
- **I'm not** a lawyer. 나는 변호사가 아닙니다.
  아임 낫 어 로이어ㄹ
- **I'm not** hungry. 나는 배고프지 않습니다.
  아임 낫 헝그리
- **I'm not** busy now. 나는 지금 바쁘지 않습니다.
  아임 낫 비지 나우

Words ++

lawyer [lɔ́:jər] *n.* 변호사

Pattern 3

Am I ~?

나는 ~입니까?

- Yes, you are. 예, 그렇습니다.
- No, you aren't. / No, you're not. 아뇨, 아닙니다.

의문문이란 물어보는 문장을 말하며 문장 끝에 '?(물음표)'가 붙습니다. 아래의 문장은 가장 일반적인 형태의 의문문으로 동사(am)를 주어(I) 앞에 씁니다. 일반의문문은 보통 'Yes'나 'No'로 대답합니다.

- **Am I** right? 내가 옳습니까?
  앰 아이 롸잇ㅌ

  Yes, you are. 예, 옳습니다.
  예스 유 아ㄹ

  No, you aren't. 아니오, 옳지 않습니다.
  노우 유 안ㅌ

- **Am I** wrong? 내가 틀렸습니까?
  앰 아이 뤙

- **Am I** next? 다음이 제 차례입니까?
  앰 아이 넥스트

Words ++

aren't = are not / you're = you are

wrong [rɔːŋ] *a.* 틀린

Real Talk

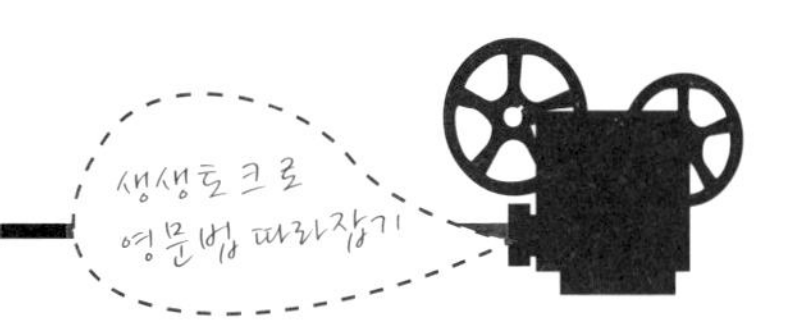

Mira Lee, the heroine of this story, introduces herself.
미라 리 더 헤로우인 어브 디스 스토리 인트러듀시스 허ㄹ셀프

M : Hello! I'm Mira Lee.
헬로우 아임 미라 리

I'm 23 years old.
아임 트웨니 쓰리 이어ㄹ즈 오울드

I'm with a computer company.
아임 위드 어 컴퓨러ㄹ 컴퍼니

I'm on vacation now.
아임 온 베이케이션 나우

I'm on the plane.
아임 온 더 플레인

I'm on my way to the United States.
아임 온 마이 웨이 투 디 유나이티드 스테잇츠

I'm very happy.
아임 베리 해피

Words ++

heroine [hérouin] *n.* 여주인공 * **hero** [hí:rou] *n.* 남수인공

introduce(s) [ìntrədjú:s] *v.* ~을 소개하다

I'm = I am(* 회화에서는 보통 I am의 단축형인 I'm이 사용된다.)

with [wið, wiθ] *prep.* ~에 고용되어

United States [ju:náitid steits] *n.* 〈the ~〉 미국

on vacation 휴가 중

on one's way 도중에

이 이야기의 주인공 이미라가 자기소개를 한다.

(M = 미라)

M : 안녕하세요. 이미라입니다.
23살입니다.
컴퓨터 회사에서 일하고 있습니다.
지금 휴가 중입니다.
비행기에 타고 있습니다.
미국으로 가는 길입니다.
저는 아주 행복합니다.

I는 왜 항상 대문자로 쓸까요?

'나'라는 뜻의 I는 ich였으나 발음하기가 어려워 ch를 버리고 i만 남게 되었습니다. 그런데 소문자인 i는 글씨가 작고 읽기도 어려운 데다 인쇄를 해도 잘 구분이 되지 않아 문제가 많았습니다. 결국 그런 불편함 때문에 소문자 i 대신 대문자 I를 문장 앞에 오나 뒤에 오나 항상 대문자로 쓰게 된 것입니다.

You're ~. 당신은 ~입니다.

문장이 어떤 내용을 담고 있느냐에 따라 문장의 종류를 다음과 같이 나눌 수 있습니다.

1. 평서문

사실을 있는 그대로 진술하는 글을 평서문이라고 하며 긍정문과 부정문이 있습니다. 어순은 〈주어 + 동사 ~.〉의 형식을 취하며 문장 끝에 마침표(.)를 붙입니다.

She **is** a teacher. 그녀는 선생님입니다.

He **is not** a teacher. 그는 선생님이 아닙니다.

2. 의문문

질문하는 문장을 의문문이라고 합니다. 어순은 〈동사 + 주어 ~?〉의 형식을 취하며 문장 끝에 의문부호(?)를 붙이며, 의문문에는 의문사가 있는 의문문, 의문사가 없는 의문문, 부가의문문, 간접의문문 등이 있습니다.

Who is calling, please? 누구세요? 〈의문사가 있는 의문문〉

You need a pen, **don't you**? 너 펜이 필요하지, 그렇지 않니? 〈부가의문문〉

3. 명령문

명령 · 경고 · 부탁 · 금지 등을 나타내며 동사원형으로 시작합니다. 문장 끝에 마침표를 찍거나 느낌표를 써서 문장을 강조하기도 합니다. 명령문의 부정은 〈Don't + 동사원형 ~.〉으로 시작하여 '~하지 마라.'라고 해석합니다. 문장의 앞이나 뒤에 please를 붙이면 좀 더 정중한 표현이 됩니다.

Sign your name here, please. 여기 서명해 주세요.

Don't be angry. 화내지 마.

4. 기원문

축원하거나 소망을 기원하는 문장으로 어순은 〈May + 주어 + 동사원형 ~!〉이며, may를 생략하기도 합니다.

(May) Peace be with you! 평화가 그대와 함께 하기를!

(May) God bless you! 신의 축복이 있기를!

5. 감탄문

강한 기쁨이나 슬픔, 놀람 등의 감정을 나타내는 문장으로 how나 what으로 시작하여 느낌표(!)로 끝맺습니다.

What a nice park! 정말 좋은 공원이네!

How nice you are! 네가 얼마나 좋은 사람인지!

패턴으로 회화감각 익히기

Pattern 1 You're ~.

당신은 ~입니다.

원형이 be인 be동사는 주어가 2인칭 'you'일 때에는 동사 are가 옵니다.

- **You're** a big help. 당신은 큰 도움이 됩니다.
  유아ㄹ 어 빅 헬프
- **You're** a good cook. 당신은 요리솜씨가 뛰어납니다.
  유아ㄹ 어 굿 쿡ㅋ
- **You're** smart. 당신은 머리가 좋습니다.
  유아ㄹ 스마ㄹ트
- **You're** lucky. 당신은 운이 좋습니다.
  유아ㄹ 럭키
- **You're** generous. 당신은 관대합니다.
  유아ㄹ 제너러스
- **You're** thoughtful. 당신은 생각이 깊습니다.
  유아ㄹ 쏘우트풀
- **You're** neat. 당신은 깔끔합니다.
  유아ㄹ 니트
- **You're** open-minded. 당신은 마음이 넓습니다.
  유아ㄹ 오픈 마인디드
- **You're** very nice. 당신은 아주 멋집니다.
  유아ㄹ 베리 나이스
- **You're** in good shape. 당신은 체격이 좋습니다.
  유아ㄹ 인 굿 쉐이프

Words ++

generous [ʤénərəs] *a.* 관대한
thoughtful [θɔ́:tfəl] *a.* 사려가 깊은
neat [ni:t] *a.* 말쑥한
shape [ʃeip] *n.* 체격

Pattern 2

You aren't ~. / You're not ~.

당신은 ~이 아닙니다.

주어가 1인칭일 때와 마찬가지로 be동사 are 뒤에 not을 쓰며, are not을 줄여서 aren't로 쓰기도 합니다.

- **You aren't** a child any more. 당신은 이제 아이가 아닙니다.
  유 안ㅌ 어 차일드 애니 모어ㄹ
- **You aren't** drunk. 당신은 취하지 않았습니다.
  유 안ㅌ 드렁크
- **You're not** lazy. 당신은 게으르지 않습니다.
  유아ㄹ 낫 레이지
- **You're not** on Park Street. 당신은 파크 스트리트에 있지 않습니다.
  유아ㄹ 낫 온 파크 스트릿ㅌ

Words ++

drunk [drʌŋk] *a.* 취한　　**lazy** [léizi] *a.* 게으른

Pattern 3

Are you ~?

당신은 ~입니까?

- Yes, I'm. 예, 그렇습니다.　- No, I'm not. 아니오, 그렇지 않습니다.

be동사의 의문문은 〈be동사 + 주어 ~?〉의 형태로 쓰며, 대답 역시 be동사를 이용하여 나타냅니다.

- **Are you** sure? 확실합니까?
  아ㄹ 유 슈어ㄹ

  Yes, I am. 예, 확실합니다.
  예스 아이 앰

No, I'm not. 아니오, 확실하지 않습니다.
노우 아임 낫

- **Are you** free this Saturday? 이번 토요일에 한가합니까?
아ㄹ 유 프리 디스 쌔러ㄹ데이

- **Are you** from Canada? 캐나다 출신입니까?
아ㄹ 유 프럼 캐나다

Words ++

sure [ʃuər] *a.* 틀림없는, 확실한 **free** [fri:] *a.* 한가한

Real Talk

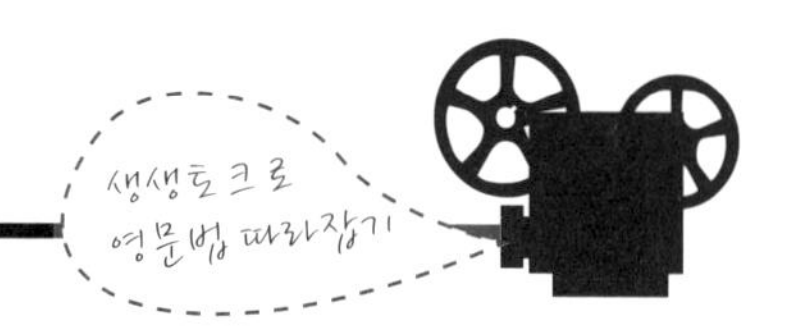

Mira meets her host family, the Johnsons, at the airport.
미라 밋츠 허ㄹ 호스트 패밀리 더 존슨스 앳 디 애어ㄹ포ㄹ트

S : Excuse me. Are you Mira?
익스큐즈 미 아ㄹ 유 미라

M : Yes, I am.
예스 아이 앰

W : Daddy, Mira's here.
대디 미라즈 히어ㄹ

Jr : Hello, Mira.
헬로우 미라

M : How do you do?
하우 두 유 두

I'm pleased to meet you.
아임 플리즈드 투 밋 유

Jr : Pleased to meet you, too.
플리즈드 투 밋 유 투

Js : Are you tired from the long flight?
아ㄹ 유 타이어ㄹ드 프럼 더 롱 플라잇ㅌ

M : No, I'm not. I'm really excited.
노우 아임 낫 아임 리얼리 익사이티드

Words ++

pleased [pli:zd] *a.* 기쁜

excited [iksáitid] *a.* 재미있는

tired from~ ~로 피로한

미라는 머무를 집인 존슨가의 사람들을 공항에서 만났다.

(S = steve, W = Wendy, Jr = Mr. Johnson, Js = Mrs. Johnson)

S : 실례지만, 미라예요?

M : 예, 그렇습니다.

W : 아빠, 미라가 왔어요.

Jr : 안녕하세요, 미라.

M : 안녕하세요. 만나서 반가워요.

Jr : 저도 만나서 반가워요.

Js : 긴 비행으로 피곤하죠?

M : 아니오, 피곤하지 않아요. 아주 재미있어요.

be동사(am, are, is)와 일반동사의 부정문과 의문문

- **be동사의 부정문**

주어 + be동사(am, are, is) + not ~. …은 ~이 아닙니다.

- **be동사의 의문문**

be동사(Am, Are, Is) + 주어 ~? …은 ~입니까?

- **일반동사의 부정문**

주어 + do[does] not + 일반동사의 원형 ~. …은 ~하지 않습니다.

- **일반동사의 의문문**

Do[Does] + 주어 + 일반동사의 원형 ~? …은 ~합니까?

Unit 03

He's ~. 그는 ~입니다.
She's ~. 그녀는 ~입니다.

영어를 이해하려면 반드시 알아야 하는 것이 품사와 어순에 대한 것입니다.

1. 품사

영어 단어는 크게 8가지로 분류될 수 있는데, 우리는 이것을 영어의 **8품사**라고 합니다.

① **명사** (noun) - 사람, 동식물이나 사물, 장소의 이름, 명칭을 나타내며 문장에서 주어, 목적어, 보어로 쓰입니다.

father 아버지, desk 책상, dog 개, flower 꽃, air 공기, water 물 …

② **대명사** (pronoun) - 사람, 동식물이나 사물의 이름을 대신하여 나타냅니다.

I 나, you 당신, she 그녀, he 그, this 이것, who 누구 …

③ **동사** (verb) - 사람, 동물, 사물의 동작이나 상태를 나타내며 문장에서 없어서는 안 될 중요한 역할을 합니다. 주부와 술부로 이루어진 우리말에서 술부의 끝맺음 말에 해당하여 해석이 '~하다'로 됩니다.

go 가다, come 오다, see 보다, eat 먹다, know 알다, read 읽다 …

④ **형용사** (adjective) - 사람, 동물, 사물의 성질이나 상태를 나타냅니다. 문장에서 보어로 쓰이며 명사를 수식하고 부사의 수식을 받습니다.

kind 친절한, small 작은, wise 현명한, many 많은, good 좋은 red 빨간 …

⑤ **부사** (adverb) - 수식하는 어구나 문장의 뜻을 분명하게 나타내며 동사, 형용사, 다른 부사를 수식하거나 문장 전체를 수식합니다.

very 매우, much 많이, here 여기에, early 일찍, beautifully 아름답게 …

⑥ **전치사** (preposition) - 문장 또는 다른 어구와 문법적 관계를 나타내며 명사나 대명사의 앞에 놓여서 다른 말과의 관계를 나타냅니다.

at ~에서, in ~의 속에, on ~의 위에, from ~로 부터, under ~의 아래에 …

⑦ **접속사** (conjunction) - 단어와 단어, 구와 구, 문장과 문장을 이어줍니다.

and 그리고, but 그러나, or 또는, so 그래서, because 왜냐하면 …

⑧ **감탄사** (interjection) - 기쁨, 슬픔, 화남, 놀라움 등의 감정을 나타내는 말로 감탄사 뒤에는 느낌표(!)를 붙입니다.

oh 오오, ah 아아, hurrah 만세, bravo 브라보 …

2. 어순

영어가 어렵게 느껴지는 이유 중 하나는 말의 순서, 즉 어순이 우리말과 다르기 때문입니다.

He	is	a	student.
그는	이다	한 사람의	학생
대명사	be동사	관사	명사

우리말로 해석해 읽어보면 '그는 / 이다 / 한 사람의 / 학생'이 되는데 이래서는 우리말이 성립되지 않습니다. 이처럼 명백하게 영어와 우리말은 말의 나열방법

(어순)이 다르다는 것을 알 수 있습니다.

문장의 주체가 되는 것을 주어(He)라고 하며 우리말에는 주어에 조사인 '은, 는, 이, 가'가 연결됩니다. 하지만 영어 문장은 기본적으로 〈주어 + 동사 ….〉의 순으로 나열됩니다.

종류	규칙	예문
우리말	주어 … 동사	우리는 야구를 한다.
영어	주어 동사 …	**We play baseball.**

주어와 동사의 뒤에는 관사(a)나 명사(student)와 같은 것이 연결되어 있습니다. 이들 문장을 통해 어순에 따라 해석해보면 각자의 위치에는 정해진 품사가 쓰이고 있는 것을 알 수 있습니다. 도움이 되는 영문을 완전히 외워서 영어의 어순에 익숙해지도록 합시다.

대문자는 언제 쓸까?

영어문장은 항상 대문자로 시작하는데 문장 중간에도 대문자로 시작하는 단어가 있습니다. 고유명사(인명, 지명 등), 요일, 달, 이름 등은 항상 대문자로 시작합니다.

Mrs. Smith　Sunday　January　New Year's Day
Christmas　Korea 등

Pattern 1

He's ~.

그는 ~입니다.

주어가 he일 때에는 동사인 is가 오며, He is를 줄여서 He's로 나타내기도 합니다.

- **He's** my colleague, Mr. Choi. 그는 내 동료인 미스터 최입니다.
  히즈 마이 컬리그 미스터ㄹ 최
- **He's** reliable. 그는 믿을 수 있습니다.
  히즈 리라이어블
- **He's** hardworking. 그는 열심히 일합니다.
  히즈 하ㄹ드워ㄹ킹
- **He's** in a meeting now. 그는 지금 회의 중입니다.
  히즈 인 어 미팅 나우

Words ++

colleague [káli:g] *n.* 동료
reliable [riláiəbəl] *a.* 믿을 수 있는
hardworking [hɑ:rdwə̀:rk] *a.* 근면한

Pattern 2

She's ~.

그녀는 ~입니다.

주어가 she일 때에는 동사인 is가 오며, She is를 줄여서 She's로 나타내기도 합니다.

- **She's** a stewardess. 그녀는 스튜어디스입니다.
  쉬즈 어 스튜어ㄹ디스
- **She's** engaged. 그녀는 약혼했습니다.
  쉬즈 인게이지드

- **She's** on the phone. 그녀는 통화중입니다.
  쉬즈 온 더 포운

- **She's** in charge of this project. 그녀는 이 계획을 담당하고 있습니다.
  쉬즈 인 차아ㄹ지 어브 디스 프로젝트

Words ++

engaged [engéidʒd] *a.* 약혼중인 **in charge of** ~을 맡고 있는
project [prədʒékt] *n.* 기획

Pattern 3

He[She] isn't ~. / He[She]'s not.

그는[그녀는] ~이 아닙니다.

he와 she의 부정은 동사 is 뒤에 not을 붙이며, He[She] is not ~.은 He[She]'s not ~. 또는 He[She] isn't ~.라고 줄여서 쓰기도 합니다.

- **He isn't** Mr. Smith. 그는 스미스 씨가 아닙니다.
  히 이즌ㅌ 미스터ㄹ 스미스

- **He isn't** broke. 그는 빈털터리가 아닙니다.
  히 이즌ㅌ 브로우크

- **She's not** angry. 그녀는 화가 나지 않았습니다.
  쉬즈 낫 앵그리

- I'm sorry, **she's not** here today. 미안하지만, 그녀는 오늘 여기에 없습니다.
  아임 쏘리 쉬즈 낫 히어ㄹ 투데이

Words ++

isn't = is not **broke** [brouk] *a.* 한 푼 없는 **angry** [ǽŋgri] *a.* 성난

Pattern 4

Is he[she] ~?

그는[그녀는] ~입니까?

- Yes, he[she] is. 예, 그렇습니다.

- No, he[she] isn't. / No, he[she]'s not. 아니오, 아닙니다.

3인칭의 의문문 역시 평서문에서 주어와 동사의 자리만 바꾸면 됩니다.

- Is she your sister? 그녀는 당신 여동생입니까?
  이즈 쉬 유어ㄹ 씨스터ㄹ

  Yes, she is. 예, 그렇습니다.
  예스 쉬 이즈

  No, she isn't. 아뇨, 그렇지 않습니다.
  노우 쉬 이즌ㅌ

- **Is she** back yet? 그녀는 이제 돌아왔습니까?
  이즈 쉬 백 옛

- **Is Mr. Harris** in the office? 해리스 씨는 사무실에 계십니까?
  이즈 미스터ㄹ 해리스 인 디 오피스

Real Talk

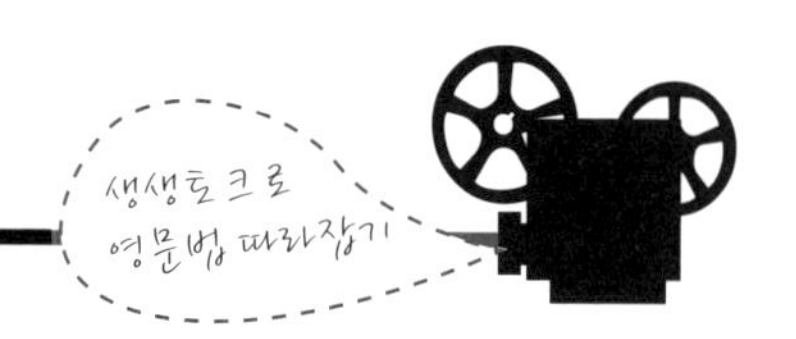

Mira arrives at her host family's house.
미라 어라이브즈 앳 허ㄹ 호우스트 패밀리즈 하우스

W : Harry! Harry!
해리 해리

M : Who's Harry?
후즈 해리

W : He's our dog.
히즈 아우어ㄹ 도그

He's behind the sofa.
히즈 비하인드 더 소우파

Come on, Harry! Say hello to Mira.
컴 언 해리 쎄이 헬로우 투 미라

H : Bowwow!
바우와우

M : Hi, Harry. I'm Mira.
하이 해리 아임 미라

H : Bowwow!
바우와우

M : He's cute.
히즈 큐트

Words ++

He's = He is / She's = She is

behind [biháind] *prep.* ~의 뒤에

bowwow [báuwáu] *int.* 멍멍 〈개 짖는 소리〉

미라는 머무르게 될 집에 도착한다.

(H = Harry)

W: 해리! 해리!

M: 해리가 누구예요?

W: 개예요.

소파 뒤에 있어요.

자, 이리와 해리! 미라에게 안녕하세요라고 인사해.

H: 멍멍!

M: 안녕, 해리! 나는 미라야.

H: 멍멍!

M: 해리는 귀엽군요.

동물에게도 he와 she?

he는 보통 사람(남성)을 가리키지만 존슨 가족의 회화에서는 해리라는 개(수컷)를 가리키고 있습니다. 동물에게는 보통 it을 쓰지만 애완동물이 가족의 일원으로 취급되는 경우에는 he나 she를 씁니다. 영어회화를 처음 배우는 사람은 he[hi]와 she[ʃiː]의 발음을 혼동하기 쉽습니다. 회화를 할 때 자신은 he라고 말할 의도였는데 어느 사이에 she로 발음하는 때가 있어서 듣는 사람은 말하는 사람이 he인지 she인지 구별하지 못하고 맙니다. 정확한 발음을 연습해 둡시다.

This is ~. 이것은 ~입니다.

That's ~. 저것은 ~입니다.

It's ~. 그것은 ~입니다.

1. 지시대명사

'이것, 저것, 그것'과 같이 특정한 사람 · 동물 · 장소 · 사물을 지시하는 것을 지시대명사라고 합니다. 지시대명사에는 'this(이것) / these(이것들), that(저것) / those(저것들), it(그것)'이 있습니다.

① 가까이 있는 것은 this · these

This is my teacher. 이 분은 나의 선생님입니다.

These are my teachers. 이 분들은 선생님들입니다.

② 멀리 있는 것은 that · those

That is a pig. 저것은 돼지입니다.

Those are pigs. 저것들은 돼지들입니다.

③ **앞에서 이미 말한 것은 it**

It is a watch. 그것은 시계입니다.

* it은 가까이 있는 것이든 멀리 있는 것이든 상관없이 쓸 수 있습니다.

2. 비인칭주어 it

it은 지시대명사 외에 날씨 · 시간 · 날짜 · 요일 · 거리 · 명암 등을 나타낼 때도 쓰입니다. 이때 it은 해석되지 않습니다.

It's rainy. 비가 옵니다.

It's July 15th. 7월 15일입니다.

It's very dark in the room. 방은 매우 어둡습니다.

Pattern 1

This is ~.

이것은[이쪽은] ~입니다.

This is ~.는 '이것은 ~입니다.'를 나타냅니다. this는 지시대명사로 가까이에 있는 것을 지칭할 때 사용하며 복수형은 these입니다.

- **This is** a friend of mine, Susan Baker.
  디스 이즈 어 프렌드 어브 마인 수잔 베이커ㄹ
  이쪽은 친구인 수잔 베이커입니다
- Hello, **this is** AAA Bank.
  헬로우 디스 이즈 에이에이에이 뱅크
  여보세요, 여기는 AAA 은행입니다. 〈전화에서〉
- **This is** my treat.
  디스 이즈 마이 트릿ㅌ
  이것은 제가 사는 겁니다.
- **This is** delicious.
  디스 이즈 딜리셔스
  이것은 맛있군요.

Words ++

treat [tri:t] *n.* 한턱

Pattern 2

That is ~.

저것은[저쪽은] ~입니다.

that은 '저것(은)'이라는 의미로 멀리 있는 사람이나 사물을 가리킬 때 쓰며, 복수형은 those로 씁니다.

- **That's** the golden Gate Bridge.
  댓츠 더 골든 게이트 브리지
  저것이 금문교입니다.

- **That's** all.
  댓츠 올
  그것이 전부입니다.

- **That's** fine with me.
  댓츠 파인 위드 미
  나는 좋습니다.

- **That's** too bad.
  댓츠 투 배드
  안됐군요.

Words ++

be fine with ~ ~에게 형편이 좋은

Pattern 3 it

그것은

it은 앞에서 말한 것이나 특정한 명사 또는 대명사 등을 가리키는 데 쓰며, 대부분의 경우 우리말로 번역되지 않습니다.

- **It**'s my pleasure.
  잇츠 마이 플레저ㄹ
  천만에요.

- **It**'s convenient.
  잇츠 컨비니언트
  편리합니다.

- **It**'s hard.
  잇츠 하ㄹ드
  어렵습니다.

- **It**'s up to you.
  잇츠 업 투 유
  당신이 알아서 하세요.

Words ++

convenient [kənví:njənt] *a.* 편리한　　**be up to ~** ~에게 일임하다

Pattern 4

it

날씨 · 기후 · 시간 · 거리 등을 가리키는 비인칭주어

비인칭주어 it은 날씨 · 기후 · 시간 · 거리 등을 가리킬 때 쓰며 우리말로 해석되지 않습니다.

- **It**'s cloudy today. 오늘은 흐립니다.
  잇츠 클라우디 투데이
- **It**'s nice and warm. 포근해서 좋습니다.
  잇츠 나이스 앤 웜
- **It**'s time for lunch. 점심시간입니다.
  잇츠 타임 풔ㄹ 런치
- **It**'s about a 10-minute walk from here to the station. 여기에서 역까지 걸어서 약 10분입니다.
  잇츠 어바웃 어 텐 미닛 워크 프럼 히어ㄹ 투 더 스테이션

Pattern 5

This isn't ~.

이것은 ~이 아닙니다.

This is ~.의 부정문은 be동사 뒤에 not을 써서 This isn't ~.로 나타냅니다.

- **This isn't** my bag. 이것은 제 가방이 아닙니다.
  디스 이즌ㅌ 마이 백
- **This isn't** expensive. 이것은 비싸지 않습니다.
  디스 이즌ㅌ 익스펜시브

Pattern 6

That isn't ~. / That's not ~.

저것은[그것은] ~이 아닙니다.

That is ~.의 부정문은 be동사 뒤에 not을 써서 That isn't ~. 또는 That's not ~.으로 나타낸다.

- **That isn't** his car. 저것은 그의 차가 아닙니다.
  댓 이즌ㅌ 히즈 카ㄹ
- **That's not** yours. 그것은 당신 것이 아닙니다.
  댓츠 낫 유어ㄹ즈
- **That's not** true. 그것은 사실이 아닙니다.
  댓츠 낫 트루

Pattern 7

It isn't ~. / It's not ~.

(그것은) ~이 아닙니다.

It is ~.의 부정문은 be동사 뒤에 not을 써서 It isn't ~. 또는 It's not ~.으로 나타냅니다.

- **It isn't** interesting. 재미있지 않습니다.
  잇 이즌ㅌ 인터레스팅
- **It's not** worth the effort. 노력할 가치가 없습니다.
  잇츠 낫 워ㄹ스 디 에풔ㄹ트
- **It's not** your business. 당신이 상관할 일이 아닙니다.
  잇츠 낫 유어ㄹ 비즈니스

Words ++

worth [wəːrθ] *a.* ~의 가치가 있는 **effort** [éfərt] *n.* 노력

Pattern 8

Is this[that / it] ~?

이것[저것 / 그것]은 ~입니까?

- Yes, it is. 예, 그렇습니다.
- No, it isn't. / No, it's not. 아니오, 그렇지 않습니다.

This[That] is ~.의 의문문은 주어와 동사의 어순을 바꾸어 Is this[that] ~?로 나타내며 말끝을 올리는 인토네이션으로 합니다. 대답은 긍정(Yes, it is.) 또는 부정(No, it isn't.)으로 할 수 있습니다. 여기에서 it은 '그것'이라는 뜻으로 이미 앞에서 말한 것을 받습니다.

- **Is this** the bus for Boston? 저것은 보스턴 행 버스입니까?
  이즈 디스 더 버스 풔ㄹ 보스턴

  Yes, it is. 예, 그렇습니다.
  예스 잇 이즈

  No, it isn't. 아니오, 그렇지 않습니다.
  노우 잇 이즌ㅌ

- **Is this** Sun Travel? 선 트래블입니까?〈전화에서〉
  이즈 디스 선 트래블

* 전화로 '당신은 ~입니까?'라고 물을 때에는 this를 써서 Is this ~?라고 하는 것이 보통이다.

- **Is that** the post office? 저것은 우체국입니까?
  이즈 댓 더 포스트 오피스

  Yes, it is. 예, 그렇습니다.
  예스 잇 이즈

  No, it isn't. 아니오, 그렇지 않습니다.
  노우 잇 이즌ㅌ

- **Is that** Jack? 저 사람은 잭입니까?
  이즈 댓 잭

- **Is it** cold outside? 밖은 춥습니까?
  이즈 잇 코울드 아웃사이드

Yes, it is.
예스 잇 이즈

예, 그렇습니다.

No, it isn't.
노우 잇 이즌ㅌ

아니오, 그렇지 않습니다.

- **Is it** windy today?
이즈 잇 윈디 투데이

오늘은 바람이 셉니까?

Words ++

windy [windi] *a.* 바람이 센

Real Talk

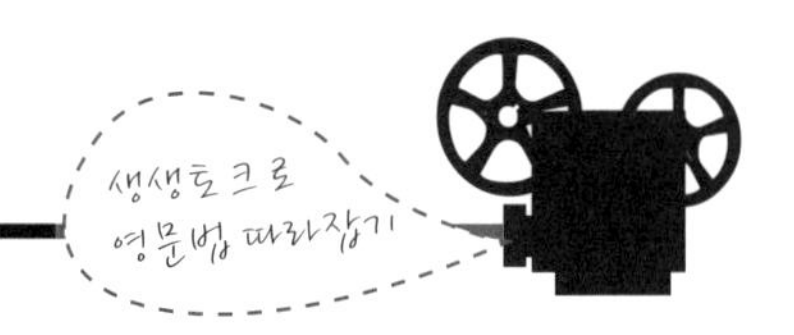

Mira gives Wendy some colored paper.
미라 기브즈 웬디 썸 컬러ㄹ드 페이퍼ㄹ

M : This is for you, Wendy.
디스 이즈 풔ㄹ 유 웬디

W : Thank you. What's this?
땡큐 왓츠 디스

M : It's magic paper.
잇츠 매직 페이퍼ㄹ

(Mira folds one sheet of colored paper.)
미라 포울즈 원 쉬트 어브 컬러ㄹ드 페이퍼ㄹ

M : This is a crane. Look! It moves.
디스 이즈 어 크레인 룩 잇 무브즈

W : Wow!
와우

M : This is a flower.
디스 이즈 어 플라우어ㄹ

W : It's wonderful.
잇츠 원더ㄹ풀

Words ++

That's = That is / It's = It is

fold(s) [fould] *v.* ~을 접다

wow [wau] *int.* 와 〈놀람 · 기쁨 등을 나타냄〉

colored paper 색종이

crane [krein] *n.* 학

미라가 웬디에게 색종이를 선물한다.

M: 이거 선물이에요, 웬디.

W: 고마워요. 이게 뭐죠?

M: 마법의 종이에요.

(미라가 색종이를 접는다.)

M: 학이에요. 보세요! 움직이죠.

W: 와!

M: 이건 꽃이에요.

W: 멋지군요.

This is great. / That's great. / It's great.

현재 자신이 체험하고 있는 것을 표현할 때에는 this를 씁니다. 예를 들면 작은 새들이 지저귀고 있는 아름다운 정원을 연인과 걷고 있을 때 무심코 하는 말은 This is great.(멋있는데.)입니다. 친구가 '곧 결혼해.'라는 말에 '좋은 일이군.'라는 느낌을 전할 때에는 That's great.이라고 합니다. 그리고 '이 드레스 어때?'라는 질문을 받고 드레스가 훌륭하다고 생각되면 It's great.이라는 표현을 사용합니다.

Unit 05

관사 a[an] / the

a, an, the는 관사라 부르는 말로서 사람이나 사물의 이름을 나타내는 명사 앞에 붙습니다. a, an은 불특정한 것을 나타내므로 부정관사라 하고, the는 특정한 것을 나타내므로 정관사라고 합니다.

1. 부정관사 a, an

명사에는 student(학생)처럼 한 사람, 두 사람 셀 수 있는 명사와 rain(비)처럼 셀 수 없는 명사가 있습니다. 셀 수 있는 명사가 단수형인 경우는 '1개의'라는 의미를 나타내는 a나 an을 명사 앞에 붙입니다.

1) a와 an의 차이

① 자음으로 시작되는 말 앞에는 a를 붙입니다.

a secretary 비서 **a** lawyer 변호사

② 모음(a, e, i, o, u)으로 시작되는 말 앞에는 an을 붙입니다.

an engineer 엔지니어 **an** orange 오렌지

③ h가 묵음으로 처리될 때는 그 뒤에 오는 모음에 따라 an을 붙입니다.

an hour 1시간 **an** honor 자랑

2) a와 an의 사용법

① '한 사람, 한 개의'라는 의미를 나타내고 보통 우리말로 번역하지 않습니다.

He's **a** banker. 그는 은행원입니다.

This is **an** encyclopedia. 이것은 백과사전입니다.

② '한 개의(= one)'라는 의미를 나타냅니다.

This bag is **a** hundred dollars. 이 가방은 100달러입니다.

She'll be back in **an** hour. 그녀는 1시간 뒤에 돌아옵니다.

③ '~마다, ~당(= per)'의 의미로 쓰입니다.

I work twelve hours **a** day. 나는 하루에 12시간 일합니다.

He takes English lessons twice **a** week.
그는 일주일에 두 번 영어 수업을 듣습니다.

④ '어떤 ~(= a certain)'의 의미로 쓰입니다.

In **a** sense, you're right. 어떤 의미에서는 당신이 옳습니다.

A man called you this morning. 어떤 남자가 오늘 아침에 전화했습니다.

⑤ 관용어로도 쓰입니다.

in **a** hurry 급히　　　as **a** rule 일반적으로

2. 정관사 the

a는 셀 수 있는 명사의 단수형에 붙이지만, the는 셀 수 있는 명사나 셀 수 없는 명사의 단수형 · 복수형에 모두 붙일 수 있습니다.

1) the의 발음

the의 발음은 다음에 오는 말이 자음으로 시작되는 경우는 [ðə 더], 모음으로 시작되는 경우는 [ði 디]가 됩니다.

the train [ðə trein] 열차　　**the** egg [ði eg] 달걀

2) the의 용법

① 앞에서 한 번 나온 명사를 반복해서 말하는 경우에는 그 명사 앞에 the를 붙입니다.

He has a daughter and a son. **The** daughter is in France.
그는 딸과 아들이 있습니다. 그 딸은 프랑스에 있습니다.

② 그때의 상황에서 그것이 무엇을 가리키는 것인지 상대가 알 수 있는 것에 the를 붙입니다.

Please pass **the** pepper. 후추를 집어주세요.

③ 천체나 방위 등 단 하나 밖에 없는 것을 나타내는 명사에 붙입니다.

the sun 태양　　**the** east 동쪽　　**the** world 세계

The moon is beautiful tonight. 오늘밤은 달이 아름답습니다.

④ first 등의 서수나 형용사의 최상급, only, last, same 등이 붙은 명사에 the를 붙입니다.

They're in **the** sixth grade. 그들은 6학년입니다.

She's **the** busiest woman in the world.
그녀는 세상에서 가장 바쁜 사람입니다.

⑤ 수식어구에 의해 한정되어 있는 명사에 붙습니다.

He's **the** president of this company. 그는 이 회사의 사장입니다.

⑥ 관용어구로 쓰입니다.

in **the** morning 아침에　　　　　　by **the** way 그런데

3) the + 고유명사

고유명사는 인명이나 지명 등을 나타내는 명사로 보통 관사를 붙이지 않지만 다음의 경우에는 the를 붙입니다.

the United States of America 미국　〈국명〉
the Kims 김 씨 부부, 김 씨 가족　〈가족〉
the Rocky Mountains 로키 산맥　〈산맥〉
the New York Times 뉴욕 타임스　〈간행물〉
the White House 백악관　〈공공건물〉
the Mississippi 미시시피 강　〈강〉
the Pacific 태평양　〈바다〉
the Panama Canal 파나마 운하　〈운하〉
the Mayflower 메이플라워 호　〈배〉

3. 관사의 생략

명사 앞에는 관사를 써야 하지만 다음과 같은 경우 생략합니다.

- **식사, 운동, 계절 등의 이름**
  I like baseball. 나는 야구를 좋아합니다.

- **가족이나 상대방을 부르는 말**
  Mom, pass me the salt. 엄마, 소금 주세요.

- **교통, 통신수단을 나타낼 때**
  I go to school on foot. 나는 걸어서 학교에 갑니다.

Real Talk

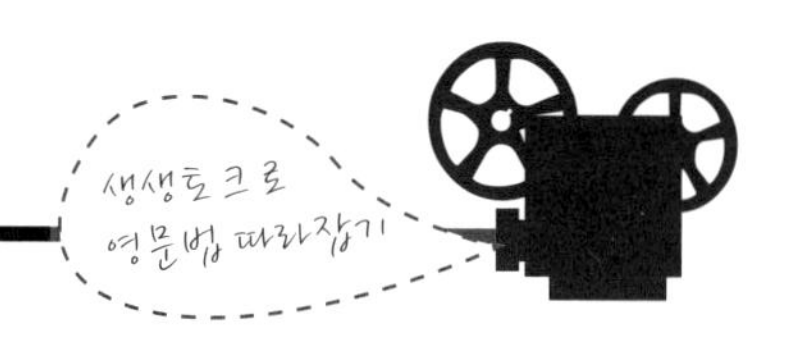

Mira meets her friend in the park.
미라 밋츠 허ㄹ 프렌드 인 더 파ㄹ크

M : Are those two dogs yours?
아ㄹ 도우즈 투 독스 유어ㄹ즈

W : No, the white dog is mine.
노우 더 화이트 도그 이즈 마인

The black dog is Mr. White's.
더 블랙 도그 이즈 미스터ㄹ 화잇츠

M : Is your dog old or young?
이즈 유어ㄹ 도그 오울드 오어ㄹ 영

W : He's very old. The black dog is old, too.
히즈 베리 오울드 더 블랙 도그 이즈 오울드 투

M : Are they friends?
아ㄹ 데이 프렌즈

W : Yes, they're very good friends.
예스 데이아ㄹ 베리 굿 프렌즈

Words ++

those [ðouz] *pron.* 저것들 ⟨**that**의 복수형⟩
white [hwait] *a.* 흰
black [blæk] *a.* 검은

미라가 공원에서 친구를 만났다.

M : 저 두 마리의 개는 네 것이니?

W : 아니, 흰 개가 내 거야.

검은 개는 화이트 씨의 개야.

M : 네 개는 어미 개니, 아니면 어린 개니?

W : 어미 개야. 검은 개도 어미 개야.

M : 두 마리는 사이가 좋니?

W : 그래, 사이가 아주 좋아.

put on과 wear의 차이점

put on은 ~을 입는다는 동작의 의미이고, wear는 ~을 착용하고 있다는 상태를 나타냅니다. 또 put on은 진행형을 쓰지 않고, wear는 진행형을 씁니다. have도 가지고 있다는 의미일 때는 진행형을 쓸 수 없지만, 먹는다는 의미일 때는 진행형을 사용할 수 있답니다.

We're ~. 우리는 ~입니다.
You're ~. 당신들은 ~입니다.
They're ~. 그들은 ~입니다.

대명사는 사람이나 사물 등의 이름 대신에 쓰이는 말로 같은 명사가 반복되는 것을 피하기 위해 쓰입니다. 1인칭 · 2인칭 · 3인칭의 구별을 하는 대명사를 인칭대명사라고 합니다. 1인칭은 말하는 사람, 2인칭을 듣는 사람, 3인칭은 화제가 되는 사람 또는 사물을 나타냅니다. 인칭대명사는 인칭 이외에도 수나 격, 성에 따라 형태가 바뀌게 됩니다. 그리고 대명사는 강조할 때 이외에는 강하게 발음하지 않습니다.

1. 인칭대명사의 격

수	인칭	성/격	주격	소유격	목적격
단수	1인칭		**I** 나는	**my** 나의	**me** 나를
	2인칭		**you** 당신은	**your** 당신의	**you** 당신을
	3인칭	남성	**he** 그는	**his** 그의	**him** 그를
		여성	**she** 그녀는	**her** 그녀의	**her** 그녀를
		중성	**it** 그것은	**its** 그것의	**it** 그것을

복수	1인칭		we 우리들은	our 우리들의	us 우리들을
	2인칭		you 당신들은	your 당신들의	you 당신들을
	3인칭		they 그들은 그녀들은 그것들은	their 그들의 그녀들의 그것들의	them 그들을 그녀들을 그것들을

2. 인칭대명사의 용법

인칭대명사에는 주격 · 소유격 · 목적격이 있습니다.

① 주격

I, you, he, she 등의 주격은 '~은[는], ~이[가]'의 의미를 나타내고 주어로 쓰입니다.

I like henry. 나는 헨리를 좋아합니다.

They are very cheap. 그것들은 무척 쌉니다.

② 소유격

'~의'라는 의미로 소유를 나타내고 명사 앞에 놓입니다.

I like **your** hairdo. 나는 당신의 헤어스타일을 좋아합니다.

He resembles **his** father. 그는 그의 아버지를 닮았습니다.

Our head office is in Seoul. 우리 본사는 서울에 있습니다.

③ 목적격

'~를, ~에게'라는 의미를 나타내는 목적어로 이용되어 동사나 전치사 뒤에 놓입니다.

He understands **her**. 그는 그녀를 이해하고 있습니다.

I regret **it**. 나는 그것을 후회합니다.

They need **us**. 그들은 우리를 필요로 합니다.

3. 소유대명사

대명사 중 '~의 것'에 해당하는 말을 소유대명사라고 합니다. 소유대명사를 수와 인칭에 따라 구별하면 다음의 표와 같습니다.

인칭/수	단 수	복 수
1인칭	**mine**	**ours**
2인칭	**yours**	**yours**
3인칭	**his / hers**	**theirs**

This is **mine**. 이것은 내 것입니다.

That is **hers**. 저것은 그녀의 것입니다.

4. 재귀대명사

재귀대명사란 '-self'의 형태로서 myself, yourself, himself, herself, ourselves, themselves 등이 있습니다.

① 재귀적 용법

재귀대명사가 타동사의 목적어로 쓰이는 경우입니다. 주어의 행위 결과가 다시 주어 자신에게 미칩니다.

History repeats **itself**. 역사는 되풀이합니다.

② 강조용법

재귀대명사가 강조용법으로 쓰일 때에는 재귀대명사를 생략해도 문장이 성립합니다.

He **himself** wrote this book. 그 자신이 직접 이 책을 썼습니다. 〈주어 강조〉

Jane wants to see Tom **himself**. 제인은 바로 토니를 보고 싶어 합니다. 〈목적어 강조〉

Pattern 1 We're ~.

우리는 ~입니다.

인칭대명사는 어떤 동작의 주체를 가리키는 대명사로, 1인칭대명사는 'I(나)'와 'I'의 복수형인 'we(우리)'를 말합니다. 주어가 we일 때 동사는 are가 오며, 간단히 We're ~.로 나타냅니다.

- **We're** an automobile company. 우리는 자동차 회사입니다.
  위아ㄹ 언 어토모빌 컴퍼니
- **We're** brothers. 우리는 형제입니다.
  위아ㄹ 브라더ㄹ즈
- **We're** in a hurry. 우리는 급합니다.
  위아ㄹ 인 어 허리

automobile [ɔ́:təməbìl] *n.* 자동차

Pattern 2 You're ~.

당신들은 ~입니다.

2인칭대명사는 'you(너 / 너희들)'를 말하며, you는 단수와 복수의 형태가 같습니다.

- **You're** excellent swimmers. 당신들은 수영을 아주 잘 합니다.
  유아ㄹ 엑설런트 스위머ㄹ즈
- **You're** polite. 당신들은 예의 바릅니다.
  유아ㄹ 펄라잇ㅌ

Words ++

polite [pəláit] *a.* 예의바른

Pattern 3

They're ~.

그들은[그녀들은 / 그것들은] ~입니다.

3인칭은 '나'와 '너'를 제외한 나머지 대상들을 말하며, 3인칭대명사에는 'he(그), she(그녀), it(그것)', 그리고 이들의 복수형인 'they(그들 / 그것들)'가 있습니다.

- **They're** my childhood friends. 그들은 내 소꿉친구들입니다.
  데이아ㄹ 마이 차일드후드 프렌즈
- **They're** attractive. 그녀들은 매력이 있습니다.
  데이아ㄹ 어트랙티브
- **They're** out of order. 그것들은 고장입니다.
  데이아ㄹ 아웃 어브 오ㄹ더ㄹ

Words ++

attractive [ətrǽktiv] *a.* 사람의 마음을 끄는 **out of order** 고장이 난

Pattern 4

We aren't ~. / We're not ~.

우리는 ~이 아닙니다.

We are ~.의 부정은 We aren't ~. 또는 We're not ~.으로 나타냅니다.

- **We aren't** thirsty. 우리는 목마르지 않습니다.
  위 안ㅌ 써ㄹ스티
- **We're not** ready. 우리는 준비가 되어있지 않습니다.
  위아ㄹ 낫 레디

Words ++

thirsty [θə́:rsti] *a.* 목이 마른

Pattern 5

You aren't ~. / You're not ~.

당신들은 ~이 아닙니다.

You are ~.의 부정은 You aren't ~. 또는 You're not ~.으로 나타냅니다.

- **You aren't** late. 당신들은 늦지 않았습니다.
  유 안ㅌ 레잇ㅌ
- **You're not** in a good mood. 당신들은 기분이 좋지 않습니다.
  유아ㄹ 낫 인 어 굿 무드

Words ++

mood [mu:d] *n.* 기분

Pattern 6

They aren't ~. / They're not ~.

그들[그녀들 / 그것들]은 ~이 아닙니다.

They are ~.의 부정은 They aren't ~. 또는 They're not ~.으로 나타냅니다.

- They **aren't** cold. 그들은 냉정하지 않습니다.
  데이 안ㅌ 코울드
- They**'re not** at work now. 그녀들은 오늘 근무 중이 아닙니다.
  데이아ㄹ 낫 앳 워ㄹ크 나우
- They**'re not** dangerous. 그것들은 위험하지 않습니다.
  데이아ㄹ 낫 데인저러스

Words ++

at work 일을 하고

dangerous [déindʒərəs] *a.* 위험한

Pattern 7

Are we ~?

우리는 ~입니까?

- Yes, you are. 예, 그렇습니다.

- No, you aren't. / No, you're not. 아니오, 그렇지 않습니다.

We are ~.의 의문문은 주어와 동사를 바꾸어 Are we ~?로 나타냅니다. Are we ~?라는 질문에 제3자가 대답하는 경우라면 Yes, you are. / No, you aren't.라고 하지만, 자신들 스스로에게 대답하는 경우에는 Yes, we are. / No, we aren't.라고 합니다.

- **Are we** all right? 우리들은 괜찮습니까?
  아ㄹ 위 올 롸잇ㅌ

  Yes, you are. 예, 괜찮습니다.
  예스 유 아ㄹ

- **Are they** home? 그들은 집에 있습니까?
  아ㄹ 데이 호움

  Yes, they are. 예, 그렇습니다.
  예스 데이 아ㄹ

be 동사의 여러가지 뜻

be동사(am, are, is)는 '~이다'라는 의미이지만 그 뒤에 오는 말에 따라 여러 가지 의미를 나타낼 수 있다.

- **주어 + be + 고유명사**

  I am Mina Choi. 나는 최미나입니다.

  ➔ 고유명사 : 인명이나 지명 등 고유한 명칭을 나타내는 명사
  Mike, Korea, New York, January …

- **주어 + be + 보통명사**

I am a housewife. 나는 주부입니다.

➜ 보통명사 : 같은 종류의 사람이나 사물에 공통적으로 쓰이는 명사
teacher, flower, dog, water …

- **주어 + be + 형용사**

You are shy. 당신은 수줍어하는 군요.

➜ 형용사 : 사람 또는 사물의 성질이나 상태 등을 나타내는 말
busy, hungry, small, good …

- **주어 + be + 부사**

He is out. 그는 외출중입니다.

➜ 부사 : 때, 장소, 정도 등을 나타내는 말
now, here, very, much …

- **주어 + be + 전치사**

She is in love. 그녀는 사랑에 빠져 있습니다.

➜ 전치사 : 명사나 대명사 등의 앞에 놓이는 말
on, at, from, under …

Real Talk

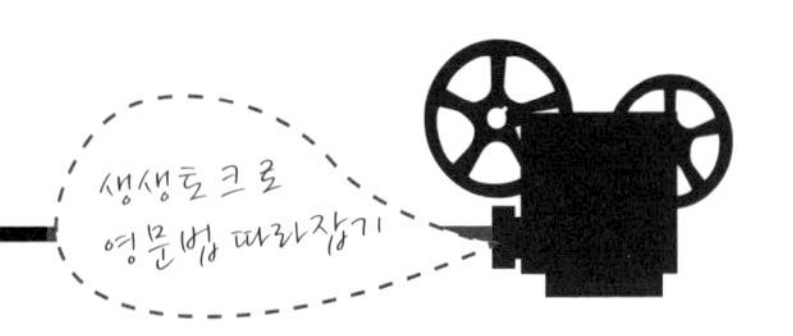

Jim calls on Steve. Steve introduces him to Mira.
짐 콜즈 온 스티브 스티브 인트러듀시스 힘 투 미라

S : Mira, this is Jim.
미라 디스 이즈 짐

Jim, this is Mira. She's from Korea.
짐 디스 이즈 미라 쉬즈 프럼 코리아

J : Hi, Mira!
하이 미라

M : Hi, Jim! Are you classmates?
하이 짐 아ㄹ 유 클래스메잇츠

J : Yes, we are. We're good friends.
예스 위 아ㄹ 위아ㄹ 굿 프렌즈

S : Jim is a terrific tennis player.
짐 이즈 어 터리픽 테니스 플레이어ㄹ

J : Let's play tennis sometime, Mira.
렛츠 플레이 테니스 썸타임 미라

M : Good idea!
굿 아이디어

Words ++

We're = We are / They're = They are **call on** ~을 방문하다
let's ~하자 **sometime** [sʌ́mtàim] *ad.* 언젠가
idea [aidíːə] *n.* 생각

짐이 스티브를 찾아온다. 스티브는 그를 미라에게 소개한다.

S : 미라, 이쪽은 짐이에요.
짐, 이쪽은 미라고 한국에서 왔어요.

J : 안녕, 미라.

M : 안녕, 짐. 같은 반 친구예요?

J : 예, 그래요. 우리는 친해요.

S : 짐은 테니스를 아주 잘해요.

J : 언제 테니스 치러 가요. 미라.

M : 좋아요!

인칭대명사

I는 자신을, you는 상대방을 가리킵니다. he는 남성을 가리켜서 Bob, my mother 등의 명사 대신 사용할 수 있습니다. She는 여성을 가리키고 Alice, my sister 등의 반복을 피하기 위해 사용됩니다. it은 앞에 나온 사물이나 동물을 나타내는 명사나 대명사 대신에 사용됩니다. 또한, it에는 날씨 등을 나타내는 용법도 있습니다. I의 복수형은 we, you이고, 이 복수형은 단수와 같고, he, she, it의 복수형은 they입니다.

인칭대명사를 나열하는 경우 you, he[she], I의 순서로 합니다. you and I(당신과 나), you and he(당신과 그), you, he and I(당신과 그와 나)

Unit 07

명사의 복수형

우리말에는 '연필'이 여러 개 있어도 '연필'이라고 하지만 영어에서는 셀 수 있는 명사가 2개 이상이 되면 반드시 명사형이 변합니다. 명사의 변화에는 단수형 뒤에 -s, -es를 붙여서 복수형으로 하는 규칙변화와 그 외의 변화에 의한 불규칙 변화가 있습니다.

1. 규칙변화

단수형 어미	복수형 만드는 법	예
일반적인 명사	-s를 붙인다	cars 차
s x ch sh	-es를 붙인다	buses 버스 boxes 상자 matches 시합 dishes 접시
모음자 + o 자음자 + o	-s를 붙인다 -es를 붙인다	radios 라디오 tomatoes 토마토
모음자 + y 자음자 + y	-s를 붙인다 y를 i로 바꾸고 -es를 붙인다	keys 열쇠 ladies 숙녀

* 예외 : pianos(피아노), photos(사진)

2. -s, -es의 발음

① 단수형이 [p, t, k, b]의 발음으로 끝나면 [스]로 발음합니다.

cups [kʌps / 컵스]

② 단수형이 [s, z, ʃ, tʃ, dʒ]의 발음으로 끝나면 [이즈]로 발음합니다.

buses [bʌsiz / 버시즈]

③ 단수형 어미의 발음이 ①, ② 이외로 끝나면 [즈]로 발음합니다.

tables [teiblz / 테이블즈]

3. 불규칙변화

복수형 만드는 법	예
모음의 변화	**man** 남자 → **men** **foot** 발 → **feet**
어미의 변화	**ox** 황소 → **oxen** **child** 아이 → **children**
단수와 복수가 같은 형	**fish** 물고기, **sheep** 양, **deer** 사슴 등

4. 단수 문장과 복수 문장

주어가 복수형이 되면 am, are, is가 are가 됩니다. 그리고 are 뒤의 명사도 다음과 같이 복수형으로 됩니다.

I **am** a student. → We **are** student**s**.
나는 학생입니다. 우리는 학생들입니다.

You **are** a doctor. → You **are** doctor**s**.
당신은 의사입니다. 당신들은 의사들입니다.

He **is** a teacher. → They **are** teacher**s**.
그는 선생님입니다. 그들은 선생님입니다.

She **is** a nurse. → They **are** nurse**s**.
그녀는 간호사입니다. 그들은 간호사입니다.

It **is** a dictionary. → They **are** dictionar**ies**.
그것은 사전입니다. 그것들은 사전입니다.

5. 복수형이 되지 않는 명사

셀 수 있는 명사는 복수가 되면 형태가 바뀝니다. 그러나 셀 수 없는 명사인 경우는 보통 복수형으로 할 수 없으므로 단수와 복수의 형태가 같습니다. 셀 수 없는 명사에는 인명 · 지명이나 물질 · 재료의 이름을 나타내는 명사, 그리고 성질 · 상태 등을 나타내는 명사가 있습니다.

Italy 이탈리아　　water 물　　peace 평화

명사의 종류

- **보통명사** : 구분할 수 있는 뚜렷한 모양이 있는 명사 (pencil, book, father 등)
- **집합명사** : 사람이나 사물이 여럿 모여 집합체를 이루는 명사 (team, family, class 등)
- **추상명사** : 뚜렷한 모양이 없는 명사 (life, art, love 등)
- **물질명사** : 일정한 모양과 크기가 없는 물질이나 재료로 이루어진 명사 (milk, water 등)
- **고유명사** : 이름, 요일, 지명 등과 같이 세상에 단 하나밖에 없는 명사로 첫 글자를 항상 대문자로 씁니다. (Henry, Korea, Friday 등)

Real Talk

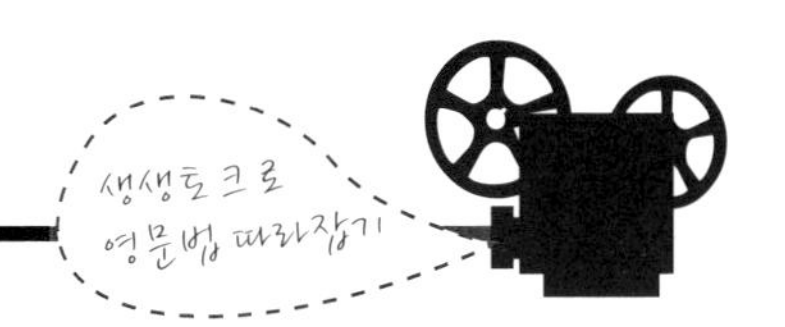

Mira meets Jenny at a party.
미라 밋츠 제니 앳 어 파ㄹ티

M : Who's that girl?
후즈 댓 거ㄹ

J : She's Ally.
쉬즈 앨리

M : Who's that boy?
후즈 댓 보이

J : He's Henry. Ally and Henry are my friends.
히즈 헨리 앨리 앤 헨리 아ㄹ 마이 프렌즈

M : Are they your classmates?
아ㄹ 데이 유어ㄹ 클래스메잇츠

J : No, they aren't. They aren't my classmates.
노우 데이 안ㅌ 데이 안ㅌ 마이 클래스메잇츠

M : Are they your neighbors?
아ㄹ 데이 유어ㄹ 네이버ㄹ즈

J : Yes, they are. They're my neighbors.
예스 데이 아ㄹ 데이아ㄹ 마이 네이버ㄹ즈

Words ++

classmate [klǽsmèit] *n.* 동급생　　**neighbor** [néibər] *n.* 이웃

미라는 파티에서 제니를 만났다.

M : 저 소녀는 누구지?

J : 앨리야.

M : 저 소년은 누구니?

J : 헨리야. 앨리와 헨리는 내 친구야.

M : 그들은 같은 반 친구들이니?

J : 아니, 같은 반은 아니야.

M : 이웃이니?

J : 그래, 이웃이야.

There is a bag on the desk.

우리가 자주 실수하는 문장이 있습니다. '내 책은 탁자 위에 있다.'라는 문장을 만들 경우 There is my book on the table.은 잘 사용하지 않는 문장입니다. there is / are의 문장은 '불특정'한 사물이 올 때에 사용하며, the(그), this(이), my(나의), your(너의) 등이 붙는 말과 함께 사용하지 않습니다. There is a bag on the desk.로 해야 됩니다.

Unit 08

There's ~. ~이 있습니다.
Here's ~. 여기에 ~이 있습니다.

1. There is ~. / There are ~.

'~가 …에 있다.'라는 의미로 단수에 대해 말할 때에는 There is ~.를, 복수에 대해 말할 때에는 There are ~.를 씁니다. there is와 there are는 가볍게 발음하며 다음에 오는 명사 부분을 강하게 발음합니다. 회화에서는 보통 there's, there're라는 단축형이 쓰인다는 것도 알아둡시다. 사람이든 사물이든 '~이 있다'라는 것을 나타낼 때는 there is, there are를 쓰고 이때 there는 '거기에'의 개념이 아닙니다. '거기에'라고 말할 경우에는 문장 끝에 there를 붙입니다.

There are two woman there. 거기에 두 명의 여자가 있습니다.

2. 장소를 나타내는 전치사

There is ~. 구문에서는 '~가 …에 있다.'처럼 장소를 확실히 나타냅니다. 문장 속에 장소를 나타내는 말이 없더라도 그 전후를 찾아보면 반드시 나타나 있습니다. 즉 말하지 않아도 알 수 있어서 생략하는 경우를 제외하고는 장소를 나타내야 하는 것입니다.

There is a chair **by** the desk. 책상 옆에 의자가 있습니다.
There are a lot of fish **in** the pond. 연못에 물고기가 많습니다.

이와 같이 장소를 나타내는 전치사 즉 by, in, on 등의 의미를 잘 알고 있어야 합니다.

3. '때'와 '장소'를 나열하는 방법

회의 등으로 연락을 할 때에는 장소와 시간을 확실히 전해야 합니다. 장소와 시간을 나열해서 말할 경우에는 〈장소 + 시간〉의 순서로 합니다.

There is a meeting **in room 2 at three**. 3시에 2호실에서 회의가 있습니다.

4. Here ~.를 사용한 표현

여기에서는 Here is[are] ~.를 배우는데 here를 사용한 표현에는 그 밖에도 다음과 같은 것들이 있습니다.

Here you are. 자, 드세요.

Here we are. 우리 다 왔습니다.

Here we are at the airport. 드디어 공항에 다 왔습니다.

Pattern 1

There is + 단수명사 ~.

~이 있습니다.

there는 '거기에'라는 뜻의 부사로도 사용되지만, be동사와 함께 쓰이면 '~이[가] 있다'라는 의미를 나타냅니다. 이것은 be동사와 함께 쓰는 정해진 특수한 구문으로 사물과 사람의 존재표현을 나타내므로 통째로 암기해야 합니다. 참고로 셀 수 없는 명사가 올 때는 There is ~.를 씁니다.

- **There's** someone at the door. 현관에 누군가가 있습니다.
  데어ㄹ즈 썸원 앳 더 도어ㄹ
- **There's** a phone call for you. 당신에게 전화가 왔습니다.
  데어ㄹ즈 어 포운 콜 풔ㄹ 유
- **There's** a quiz show on Channel 11 at eight. 8시에 11번 채널에서 퀴즈 프로가 있습니다.
  데어ㄹ즈 어 퀴즈 쇼우 온 채널 일레븐 앳 에잇ㅌ
- **There's** a new movie at the Majestic Theater. 매제스틱 극장에서 새 영화를 상영하고 있습니다.
  데이ㄷㅈ 이 뉴 무비 앳 더 미제스틱 씨이티ㄷ
- **There's** an elevator at the end of the hall. 복도 끝에 엘리베이터가 있습니다.
  데어ㄹ즈 언 엘리베이터ㄹ 앳 디 엔드 어브 더 홀
- **There's** some milk in the glass. 컵 안에 우유가 있습니다.
  데어ㄹ즈 썸 밀크 인 더 글래스

Words ++

door [dɔːr] *n.* 현관 **hall** [hɔːl] *n.* 복도

Pattern 2

There are + 복수명사 ~.

~들이 있습니다.

이 구문은 영어의 수많은 문형 중에서 〈주어 + 동사〉가 되지 않는 예외형으로 주어가 복수일 때는 There are ~.를 씁니다.

- **There are** ten of us altogether. 우리는 모두 10명입니다.
  데어ㄹ 아ㄹ 텐 어브 어스 올투게더ㄹ
- **There are** two thousand employees in our company. 우리 회사에는 종업원이 2천명 있습니다.
  데어ㄹ 아ㄹ 투 싸우전드 임플로이이즈 인 아우어ㄹ 컴퍼니
- **There are** a lot of nice stores in the shopping center. 이 쇼핑센터에는 좋은 상점이 많이 있습니다.
  데어ㄹ 아ㄹ 어 랏 어브 나이스 스토어ㄹ즈 인 더 쇼핑 센터ㄹ

Words ++

altogether [ɔ:ltəgéðər] *ad.* 다 합하여 **employee(s)** [implɔ́ii:] *n.* 종업원

Pattern 3

There isn't + 단수명사 ~.

[There's no + 단수명사 ~.] ~이 없습니다.

There is ~.의 부정문은 not / no를 이용하여 만듭니다.

- **There isn't** any milk in the refrigerator. 냉장고에 우유가 없습니다.
  데어ㄹ 이즌ㅌ 애니 밀크 인 더 리프리저레이터ㄹ
- **There's** no problem. 문제없습니다.
  데어ㄹ즈 노우 프라블럼
- **There's** no one here by that name. 그런 이름을 가진 분은 없습니다.
  데어ㄹ즈 노우 원 히어ㄹ 바이 댓 네임

- **There's** no B5 copy paper. B5 복사용지가 없습니다.
  데어ㄹ즈 노우 비 파이브 카피 페이퍼ㄹ

Words ++

no [nou] *a.* 전혀 ~없다 **refrigerator** [rifrídʒərèitər] *n.* 냉장고

Pattern 4 There aren't + 복수명사 ~.

[There are not + 복수명사 ~.] ~들이 없습니다.

There are ~.의 부정문은 not을 이용하여 만듭니다.

- There aren't any eggs. 계란이 없습니다.
  데어ㄹ 안ㅌ 애니 에그즈
- There aren't any parking lots around here. 이 근처에 주차장은 없습니다.
  데어ㄹ 안ㅌ 애니 파ㄹ킹 랏츠 어라운드 히어ㄹ
- There are no empty seats. 빈자리가 없습니다.
  데어ㄹ 아ㄹ 노우 엠티 씻츠
- There are no trains after twelve. 12시 이후는 열차가 없습니다.
  데어ㄹ 아ㄹ 노우 트레인즈 애프터ㄹ 트웰브

Words ++

parking lot(s) *n.* 주차장 **empty** [émpti] *a.* 빈

Pattern 5 Is there + 단수명사 ~?

~이 있습니까?

- Yes, there is. 예, 있습니다.
- No, there isn't. 아니오, 없습니다.

There is ~.가 의문형이 되면 there와 is를 바꾸어 Is there ~?로 합니다.

- **Is there** any message? 메시지가 있습니까?
  이즈 데어ㄹ 애니 메시지

  Yes, there is. 예, 있습니다.
  예스 데어ㄹ 이즈

  No, there isn't. 아니오, 없습니다.
  노우 데어ㄹ 이즌ㅌ

- **Is there** a bank near here? 이 근처에 은행이 있습니까?
  이즈 데어ㄹ 어 뱅크 니어ㄹ 히어ㄹ

Words ++

message [mésidʒ] *n.* 전언, 메시지 **bank** [bæŋk] 은행

Pattern 6

Are there + 복수명사 ~?

~이 있습니까?

- Yes, there are. 예, 있습니다.
- No, there aren't. 아니오, 없습니다.

There are ~.가 의문형이 되면 there와 are를 바꾸어 Are there ~?로 합니다.

- **Are there** any suggestions? 제안이 있습니까?
  아ㄹ 데어ㄹ 애니 서제스천스

  Yes, there are. 예, 있습니다.
  예스 데어ㄹ 아ㄹ

  No, there aren't. 아니오, 없습니다.
  노우 데어ㄹ 안ㅌ

- **Are there** any books on American history? 미국역사에 관한 책이 있습니까?
  아ㄹ 데어ㄹ 애니 북스 온 어메리컨 히스토리

- **Are there** any Korean restaurants in Berkeley? 버클리에는 한국식당이 있습니까?
  아ㄹ 데어ㄹ 애니 코리안 레스터렁츠 인 버ㄹ클리

Words ++

suggestion(s) [səgdʒéstʃən] *n.* 제안

Pattern 7

Here's + 단수명사 ~.

여기에 ~이 있습니다.

'여기에 (단수명사)가 있다.'라고 할 때에는 Here is ~.를 씁니다.

- **Here's** a present for you. 당신에게 줄 선물이 있습니다.
  히어ㄹ즈 어 프레즌트 풔ㄹ 유
- **Here's** a toast to our success! 우리의 성공을 축하하며, 건배!
  히어ㄹ즈 어 토우스트 투 아우어ㄹ 석세스
- **Here's** my card. 내 명함입니다.
  히어ㄹ즈 마이 카ㄹ드
- **Here's** our company brochure. 우리 회사 팸플릿입니다.
  히어ㄹ즈 아우어ㄹ 컴퍼니 브로우슈어ㄹ
- **Here's** your coffee. 커피 여기 있습니다.
  히어ㄹ즈 유어ㄹ 커피

Words ++

toast [toust] *n.* 건배 **card** [kɑːrd] *n.* 명함

brochure [brouʃúər] *n.* 팸플릿

Pattern 8

Here are + 복수명사 ~.

여기에 ~들이 있습니다.

'여기에 (복수명사)가 있다.'라고 할 때에는 Here are ~.를 씁니다.

- **Here are** some towels. 여기 수건이 있습니다.
  히어ㄹ 아ㄹ 썸 타월즈
- **Here are** some photographs of my family. 내 가족사진입니다.
  히어ㄹ 아ㄹ 썸 포토그랩스 어브 마이 패밀리
- **Here are** your books. 당신 책입니다.
  히어ㄹ 아ㄹ 유어ㄹ 북스
- **Here are** your files. 당신 파일입니다.
  히어ㄹ 아ㄹ 유어ㄹ 파일즈

Words ++

photograph(s) [fóutəgræ̀f] *n.* 사진

Real Talk

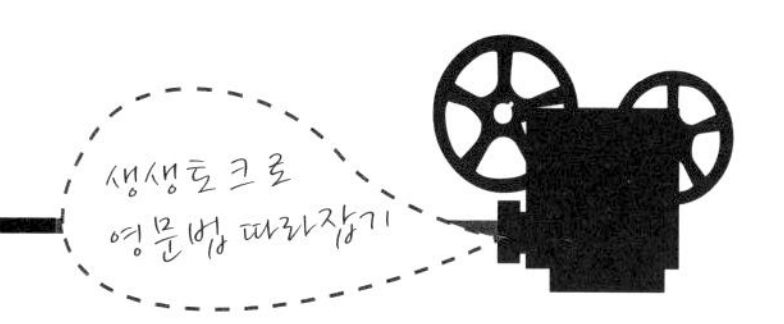

Mira receives a letter from Korea.
미라 리시브즈 어 레러ㄹ 프럼 코리아

Js : There's a letter for you on the table.
데어ㄹ즈 어 레러ㄹ 풔ㄹ 유 온 더 테이블

M : Thank you, Mrs. Johnson.
땡큐 미씨즈 존슨

It's from my mother.
잇츠 프럼 마이 머더ㄹ

Js : That's nice.
댓츠 나이스

M : I miss her.
아이 미스 허ㄹ

I'm homesick.
아임 호움씩ㅋ

Jr : That's natural.
댓츠 내추럴

Js : I'm your American mother, Mira.
아임 유어ㄹ 어메리컨 머더ㄹ 미라

Words ++

There's = There is / Here's = Here is
miss [mis] *v.* ~가 없어서 섭섭하게[아쉽게] 생각하다
receive(s) [risí:v] *v.* ~을 받다
natural [nǽtʃərəl] *a.* 당연한

미라가 한국에서 온 편지를 받는다.

Js : 테이블 위에 당신 앞으로 온 편지가 있어요.

M : 고마워요. 존슨 부인.

어머니께 왔어요.

Ks: 좋겠군요.

M : 어머니가 그리워요.

향수병에 걸렸나 봐요.

Jr : 당연해요.

Js : 미라, 내가 당신의 미국인 어머니예요.

How pretty is she? vs How pretty she is!

'의문사 + 동사 + 주어'는 의문문의 형태이며 '의문사(what/how)+주어+동사'는 감탄문의 형태입니다. 위 문장에서 how pretty는 의문사이고 is가 동사, she가 주어이므로 'How pretty is she?'는 '그녀가 얼마나 예쁘니?'라는 의문문, 'How pretty she is!'는 '그녀는 정말로 예쁘구나!'하고 감탄하는 감탄문입니다. 감탄해야 하는 순간에 어순이 틀리지 않도록 주의해야겠죠!

형용사

1. 형용사의 종류

형용사는 사물의 성질과 상태, 종류나 개수를 나타내는 말로 명사와 대명사를 좀 더 자세히 설명해줍니다.

① 성질 · 상태 · 종류

good 좋은, free 한가한, American 미국의 …

② 지시

this 이, that 저, 그, all 모든 …

③ 수 · 양

some 몇 개의, one 하나의, first 첫째의 …

2. 형용사의 용법

① 형용사가 단독으로 쓰여 주어의 성질 · 상태 등을 설명합니다.

I'm **happy.** 나는 행복합니다.

He's **handsome.** 그는 잘 생겼습니다.

They're **intelligent.** 그는 지적입니다.

② **형용사가 명사 앞에 놓여서 그 명사의 성질 · 상태 등을 설명합니다.**

She's a **loving** woman. 그녀는 애정 깊은 여성입니다.

That's a **good** idea. 그것은 좋은 생각입니다.

They're **friendly** people. 그들은 사교적인 사람들입니다.

3. 형용사로 이용되는 this와 that

this는 '이', that은 '저, 그'라는 의미로 명사 앞에 붙입니다.

This pizza is delicious. 이 피자는 맛있습니다.

That dress is nice. 저 드레스는 멋있습니다.

4. 수량을 나타내는 형용사 some, any, no의 용법

① some과 any

some, any는 '몇 개인가의, 얼마간의'라는 의미를 나타내고, 셀 수 있는 명사의 복수형이나 셀 수 없는 명사 앞에 놓입니다. 보통 some은 긍정문에서, any는 부정문 · 의문문에 쓰고, any가 부정문에 쓰여서 not any가 되면 '조금도 ~없다.'의 의미를 나타내며, some, any는 대부분의 경우 우리말로 해석하지 않습니다.

There are **some** children in the park. 공원에 아이들 몇 명이 있습니다.

There's **some** orange juice in the refrigerator.
냉장고에 오렌지 주스가 있습니다.

There aren't **any** ball-point pens. 볼펜이 하나도 없습니다.

Is there **any** water in the canteen? 물통에 물이 있습니까?

② no

no는 '조금도 ~없다'라는 의미로 셀 수 있는 명사의 단수형 · 복수형이나 셀 수 없는 명사 앞에 놓입니다.

There's **no** way. 방법이 없습니다.

There are **no** letters for you. 당신 앞으로 온 편지가 없습니다.

There's **no** time. 시간이 없습니다.

not any는 no를 사용해서 바꾸어 쓸 수 있습니다.

There aren't **any** ball-point pens.
= There are **no** ball-point pens.

5. 숫자 읽는 법

① 일반 숫자

기수에서 100 이상의 수는 hundred 다음에 and를 넣어 읽는 것이 보통이나 영국 영어에서는 생략하는 경우가 많습니다.

백(100)의 자리에는 hundred를, 천(1,000)의 자리에는 thousand를, 백만의 자리에는 million을 붙여 읽되, 백단위로 세 자리씩 끊어 읽습니다.

175 → one[a] hundred (and) seventy-five

123,456,789 → one hundred (and) twenty-three million, four hundred (and) fifty-six thousand, seven hundred (and) eighty-nine

② 연도

연도는 일반적으로 끝에서 두 자리씩 끊어 읽습니다.

2009 → two thousand (and) nine

2022 → twenty twenty-two

393 B.C. → three ninety-three B.C. 기원전 393년

1990's → the nineteen nineties 1990년대

③ 날짜

날짜(date)는 서수로 읽기도 하고 기수로 읽기도 합니다.

8월 15일 → ⓐ (표기) 15 August / 15th August / 15th of August
(읽기) the fifteenth of August
ⓑ (표기) August 15
(읽기) August fifteen / August the fifteenth
ⓒ (표기) August 15th
(읽기) August the fifteenth

④ 시각

시각을 나타내는 방법에는 ⓐ시간과 분을 각각 기수로 읽는 방법과 past[after]나 to[before]를 사용해서 읽는 방법이 있습니다.
ⓑ와 같이 읽는 경우 '~분 지나서'의 의미로 past는 영국에서, after는 미국에서, '~분 전'의 의미로 to는 영국에서, before는 미국에서 쓰입니다.
오전은 a.m.[ei m], 오후는 p.m.[p : m]를 씁니다.

8 : 15 → ⓐ eight fifteen ⓑ a quarter past[after] eight
9 : 30 → ⓐ nine thirty ⓑ half past[after] nine
10 : 45 → ⓐ ten forty-five ⓑ a quarter to[before] eleven
11 : 00 a.m. → ⓐ eleven (o'clock) [éiém]

⑤ 전화번호

0은 O[ou] 또는 zero[zi(:)rou], nought / naught[nɔ́:t]로 읽습니다.

713-6560 → seven one three six five six O
247-2289 → two four seven double two eight nine 〈영국〉
→ two four seven two two eight nine 〈미국〉

⑥ **금액**

$7.25	→	seven dollars (and) twenty-five cents seven, twenty-five 7달러 25센트
£5	→	five pounds 5파운드
₩170	→	one hundred seventy won 170원

⑦ **분수**

분수를 읽을 때는 분자는 기수로, 분모는 서수로 읽으며 분자가 2이상이면 분모에 복수형 어미 -s를 붙여 읽습니다.
대분수는 정수와 분수 사이에 and를 두어 읽으면 됩니다.

1/2	→	a half[one-half]
3/4	→	three-fourths[three quarters]
25/7	→	two and five sevenths

⑧ **소수**

소수점은 point로 읽습니다.
소수점까지는 보통 기수로 읽으며, 소수점 이하는 한 자씩 읽습니다.

0.05	→	point zero five[point oh five]
17.43	→	seventeen point four three
3.14159	→	three point one four one five nine

⑨ **기타**

Book II	→	Book two[the second book BK II]
Part III	→	Part three
p. 5	→	page five
l. 9	→	line nine

No. 10 → Number ten

Chap. VI → Chapter six

§ **7** → Section seven[the seventh section]

World War II → World War two[the second World War]

Elizabeth II → Elizabeth the second

Real Talk

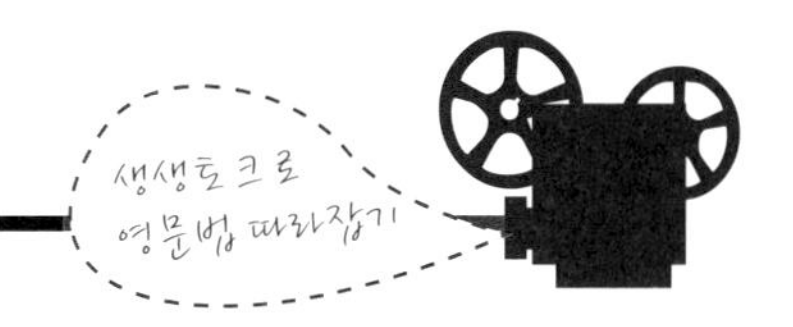

Mira meets Bill in the park.
미라 밋츠 빌 인 더 파르크

M : Hello, Bill.
헬로우 빌

B : Hi, Mira. Is that your bicycle?
하이 미라 이즈 댓 유어ㄹ 바이시클

M : Yes, it is. My bicycle is new. What's that?
예스 잇 이즈 마이 바이시클 이즈 뉴 왓츠 댓

B : This is a camera.
디스 이즈 어 캐머러

M : Is it new?
이즈 잇 뉴

B : No, it isn't. It's old.
노우 잇 이즌ㅌ 잇츠 오울드

Words

bicycle [báisikəl] *n.* 자전거 **new** [nju:] *a.* 새로운 **old** [ould] *a.* 오래된

미라와 빌은 공원에서 만났다.

M : 안녕, 빌.

B : 안녕, 미라. 그거 네 자전거니?

M : 그래. 내 자전거는 새 거야. 그건 뭐니?

B : 이건 카메라야.

M : 새 거니?

B : 아니. 오래된 거야.

Unit 10

주어 + 일반동사 ~.

…은 ~합니다.

1. 일반동사

동사에는 be동사(am, are, is)와 조동사(can, may, will …)와 그리고 일반동사가 있습니다. 몇 개의 be동사와 조동사를 빼면 모두 일반동사에 해당합니다.

일반동사는 주어가 3인칭 단수(he, she, it, Tom 등)이며 현재시제일 때는 반드시 지켜야 할 규칙이 있습니다. 그것은 단어의 끝(어미부분)에 -s나 -es를 붙이는 것입니다.

Tom **likes** baseball. 탐은 야구를 좋아합니다. 〈3인칭 단수〉
They **like** baseball very much. 그들은 야구를 매우 좋아합니다. 〈3인칭 복수〉

2. 일반동사의 3인칭 단수형 만드는 법

① 어미가 -s, -x, -sh, -ch, -o로 끝나는 동사는 -es를 붙입니다.

pass → pass**es**　　fix → fix**es**

② 어미가 〈자음 + y〉로 끝나는 동사는 y를 I로 바꾸고 -es를 붙입니다.

study → stud**ies**　　try → tr**ies**

③ 어미가 〈모음 + y〉로 끝나는 동사는 -s만 붙입니다.

enjoy → enjoy**s**　　　say → say**s**

그 밖의 모든 동사에는 어미에 -s를 붙여 사용합니다.

일반적인 사실, 진리, 평상시에 일어나는 반복적인 일에는 현재시제를 씁니다.

I **get** up early in the morning. 나는 아침에 일찍 일어납니다.

There **are** 12 months in a year. 1년은 12달입니다.

패턴으로 회화감각 익히기

Pattern 1

일반동사(am, are, is 이외의 동사)

~은 …합니다.

주어가 he, she, it 등일 때에는 일반동사에 -s나 -es를 붙입니다.

- I **agree**. 나는 찬성합니다.
  아이 어그리
- I **promise**. 나는 약속합니다.
  아이 프라미스
- I **mean** it. 나는 진심으로 말하고 있습니다.
  아이 민 잇
- You **need** a rest. 당신은 휴식이 필요합니다.
  유 니드 어 레스트
- He **loves** her. 그는 그녀를 사랑합니다.
  히 러브즈 허ㄹ
- She **respects** him. 그녀는 그를 존경합니다.
  쉬 리스펙츠 힘
- It **suits** you. 그것은 당신이게 어울립니다.
  잇 숫츠 유
- We **make** cameras. 우리는 카메라를 만듭니다.
  위 메익 캐머라즈
- You **like** pizza. 당신은 피자를 좋아합니다.
  유 라익 피자
- They **trust** me. 그들은 나를 믿습니다.
  데이 트러스트 미

Words ++

promise [prámis] *v.* 약속하다
mean [mi:n] *v.* ~을 의미하다
respect(s) [rispékt] *v.* ~을 존경하다
trust [trʌst] *v.* ~을 신뢰하다

Pattern 2 주어 + don't[doesn't] + 일반동사의 원형 ~.

…은 ~하지 않습니다.

일반동사 문장을 부정문으로 만들 때에는 don't를 쓰지만 주어가 he, she, it(3인칭 단수)일 경우에는 doesn't를 씁니다. doesn't 뒤에 오는 일반동사는 -s, -es를 붙이지 않고 원형으로 합니다.

- I **don't understand.** 모르겠습니다.
  아이 돈ㅌ 언더ㄹ스탠드
- You **don't say.** 설마.
  유 돈ㅌ 쎄이
- He **doesn't know.** 그는 모릅니다.
  히 더즌ㅌ 노우
- She **doesn't care.** 그녀는 관심 없습니다.
  쉬 더즌ㅌ 케어ㄹ
- It **doesn't matter.** 그것은 중요한 일이 아닙니다.
  잇 더즌ㅌ 매러ㄹ
- We **don't blame** you. 우리는 당신을 비난하지 않습니다.
  위 돈ㅌ 블레임 유
- You **don't believe** me. 당신들은 나를 믿지 않습니다.
  유 돈ㅌ 빌리브 미
- They **don't play** golf. 그들은 골프를 치지 않습니다.
  데이 돈ㅌ 플레이 골프

Words ++

don't = do not / doesn't = does not

care [kεər] *v.* 관심을 가지다

matter [mǽtəːr] *v.* 중대하다

blame [bleim] *v.* ~을 나무라다

Pattern 3

Do[Does] + 주어 + 일반동사의 원형 ~?

…은 ~합니까?

- Yes, 주어 + do[does]. 예, ~합니다.
- No, 주어 + don't[doesn't]. 아니오, ~하지 않습니다.

일반동사 문장을 의문문으로 하려면, 문장 앞에 do를 놓고, 주어가 he, she, it(3인칭 단수) 등일 때에는 does를 씁니다. 대답 역시 do / does / did로 합니다.

- Do I take the Number 15 bus? 저는 15번 버스를 탑니까?
  두 아이 테익 더 넘버ㄹ 피프틴 버스

  Yes, you do. 예, 그렇습니다.
  예스 유 두

  No, you don't. 아니오, 그렇지 않습니다.
  노우 유 돈ㅌ

- Do you speak Korean? 당신은 한국어를 합니까?
  두 유 스피크 코리안

  Yes, I do. 예, 합니다.
  예스 아이 두

  No, I don't. 아니오, 못합니다.
  노우 아이 돈ㅌ

- Does he want a car? 그는 차를 원합니까?
  더즈 히 원트 어 카ㄹ

  Yes, he does. 예, 그렇습니다.
  예스 히 더즈

  No, he doesn't. 아니오, 그렇지 않습니다.
  노우 히 더즌ㅌ

- Does she play the piano? 그녀는 피아노를 칩니까?
  더즈 쉬 플레이 더 피애노우

  Yes, she does. 예, 칩니다.
  예스 쉬 더즈

  No, she doesn't. 아니오, 치지 않습니다.
  노우 쉬 더즌ㅌ

- Does it work? 그것은 작동합니까?
  더즈 잇 워ㄹ크

  Yes, it does. 예, 그렇습니다.
  예스 잇 더즈

  No, it doesn't. 아니오, 그렇지 않습니다.
  노우 잇 더즌ㅌ

- Do we need more exercise? 우리는 운동이 더 필요합니까?
  두 위 니드 모어ㄹ 엑서ㄹ사이즈

  Yes, you do. 예, 필요합니다.
  예스 유 두

  No, you don't. 아니오, 필요하지 않습니다.
  노우 유 돈ㅌ

- Do you accept traveler's checks? 당신들은 여행자 수표를 받습니까?
  두 유 억셉트 트래블러ㄹ즈 첵스

  Yes, we do. 예, 받습니다.
  예스 위 두

  No, we don't. 아니오, 받지 않습니다.
  노우 위 돈ㅌ

- Do they like Seoul? 그들은 서울을 좋아합니까?
  두 데이 라익 서울

  Yes, they do. 예, 좋아합니다.
  예스 데이 두

  No they don't. 아니오, 좋아하지 않습니다.
  노우 데이 돈ㅌ

Real Talk

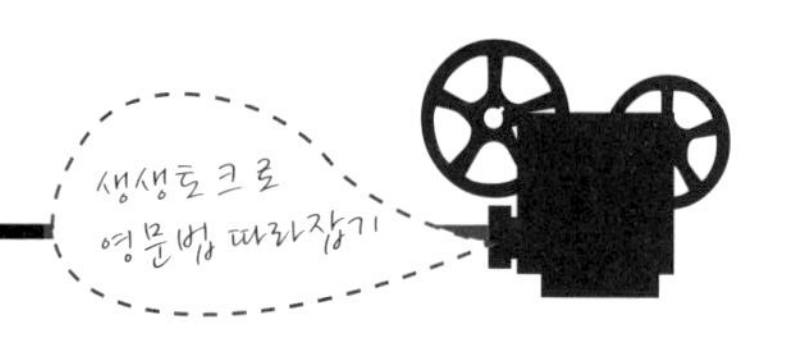

Mira and Steve talk about movies.
미라 앤드 스티브 토크 어바웃 무비즈

M : Do you like movies, Steve?
두 유 라익 무비즈 스티브

S : Yes, I do. How about you, Mira?
예스 아이 두 하우 어바웃 유 미라

M : I love them. American movies are very popular in Korea.
아이 러브 뎀 어메리칸 무비즈 아ㄹ 베리 파퓨러ㄹ 인 코리아

S : Are they? Who's your favorite movie star?
아ㄹ 데이 후즈 유어ㄹ 페이버릿 무비 스타ㄹ

M : Kevin Costner.
케빈 코스트너ㄹ

S : One of his movies is on TV tonight.
원 어브 히즈 무비즈 이즈 온 티비 투나잇ㅌ

M : Really? Great!
리얼리 그레잇ㅌ

I'm crazy about him.
아임 크레이지 어바웃 힘

Words ++

How about ~? ~은 어떻습니까?
favorite [féivərit] *a.* 아주 좋아하는
popular [pápjələr] *a.* 인기 있는
crazy [kréizi] *a.* 열중한

미라와 스티브가 영화에 관해 이야기 한다.

M : 영화를 좋아하세요, 스티브?

S : 예, 좋아해요. 미라, 당신은 어때요?

M : 아주 좋아해요. 미국영화는 한국에서 매우 인기 있어요.

S : 그래요? 좋아하는 영화배우가 누구예요?

M : 케빈 코스트너요.

S : 그의 영화가 오늘밤에 TV에 나와요.

M : 그래요? 잘됐군요!
나는 그에게 빠져 있어요.

be동사와 일반동사

지금까지 배운 am, are, is는 be동사라고 합니다. 여기서 배우는 일반동사는 be동사 이외의 동사를 말합니다. be동사와 일반동사는 부정문과 의문문을 만드는 법이 다릅니다.

우리말과 영어의 어순

'나는 영화를 좋아합니다.'를 영어로 하면 I love movies.가 되고 주어 다음에 동사, 그 다음에 동작의 대상이 되는 말이 옵니다. 영어를 배우기 어려운 이유 가운데 하나는 이처럼 우리말과 영어의 어순이 다르다는 데 있습니다.

Unit 11

부사

1. 부사의 형태

부사란 문장 안에서 장소, 시간, 방법 또는 정도에 관해 설명해 주는 품사로, 부사는 원래 부사인 경우와 다른 품사에서 유래한 부사가 있는데 그 중 형용사에서 유래한 것이 가장 많습니다.

① 보통 형용사에 '-ly'가 붙어서 만들어집니다.

quick → quick**ly** beautiful → beautiful**ly**

② '-y'로 끝나는 형용사는 'y'를 'i'로 고치고 '-ly'를 붙입니다.

happy → happ**ily** easy → eas**ily**

③ '-le'로 끝나는 형용사는 'e'를 빼고 끝에 '-y'만 붙입니다.

simple → simp**ly** gentle → gent**ly**

④ '-ue'로 끝나는 형용사는 'e'를 빼고 '-ly'를 붙입니다.

true → tru**ly**

2. 부사의 종류

부사는 나타내는 의미에 따라 다음과 같이 나눌 수 있습니다.

① **때** : now 지금, today 오늘, tomorrow 내일, soon 곧

② **장소** : here 여기, there 저기, in 안에, out 밖에

③ 빈도 : sometimes 때때로, often 자주, usually 항상, again 다시

④ 정도 : very 매우, quite 꽤, too 너무, almost 거의

⑤ 방법 · 상태 : well 잘, carefully 주의 깊게, slowly 천천히, fast 빠르게

3. 부사의 용법과 위치

부사는 형용사 · 부사 · 동사를 수식합니다.

① 형용사를 수식하는 부사 - 보통 형용사 앞에 놓습니다.

I'm **really** sorry. 대단히 죄송합니다.

It's **very** hot. 아주 뜨겁습니다.

② 다른 부사를 수식하는 부사 - 보통 수식을 받는 부사 앞에 놓입니다.

You walk **too** fast. 당신은 아주 빨리 걷습니다.

She speaks English **very** well. 그녀는 영어를 능숙히 합니다.

③ 동사를 수식하는 부사

- 방법 · 상태 또는 장소를 나타내는 부사는 일반적으로 문장의 제일 끝에 놓입니다.

He does his job **carefully.** 그는 일을 신중히 합니다.

She works **here.** 그녀는 여기에 근무합니다.

- always(항상)나 seldom(거의 ~하지 않다)과 같은 빈도를 나타내는 부사는 be동사 또는 조동사 뒤에 일반동사 앞에 놓입니다.

You *are* **always** late. 당신은 항상 지각합니다.

He **seldom** *makes* mistakes. 그는 거의 실수하지 않습니다.

- today(오늘) 또는 yesterday(어제) 처럼 '때'를 나타내는 부사는 일반적으로 문장의 끝에 놓이지만 맨 앞에 놓일 수도 있습니다.

I'm busy **today.** 나는 오늘 바쁩니다.

Today I'm busy. 오늘 나는 바쁩니다.

④ '때'나 '장소'를 나타내는 부사는 일반적으로 작은 단위부터 나열합니다.

There's a fireworks display **at seven thirty in the evening on July 4 every year.** 매년 7월 4일 오후 7시 반에 불꽃놀이 대회가 있습니다.

She stayed **at a hotel in New York.** 그녀는 뉴욕에 있는 호텔에 묵었습니다.

⑤ '장소'와 '때'를 나타내는 부사를 나열할 경우 〈장소 + 때〉의 순서로 합니다.

I'll see you **at the station** **at three**. 3시에 역에서 만납시다.

(at the station: 장소 / at three: 때)

Real Talk

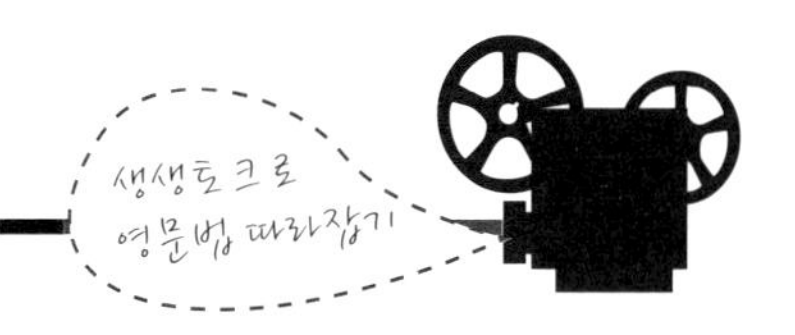

Mira meets Jenny in a skating rink.
미라 밋츠 제니 인 어 스케이팅 링크

M : Are you a good skater?
아ㄹ 유 어 굿 스케이터ㄹ

J : I don't know. But I can skate pretty fast.
아이 돈ㅌ 노우 벗 아이 캔 스케이트 프리티 패스트

M : Can you?
캔 유

J : Yes. But Bill can skate much faster than I can.
예스 벗 빌 캔 스케이트 머치 패스터ㄹ 댄 아이 캔

M : But John can skate fastest.
벗 존 캔 스케이트 패스티스트

미라는 스케이트장에서 제니를 만났다.

M : 너 스케이트 잘 타니?

J : 모르겠어. 그러나 상당히 빨리 달릴 수 있어.

M : 그래?

J : 응. 그런데 빌이 나보다 더 빨리 타.

M : 그러나 존이 가장 빨리 타지.

대명사

대명사란 명사 대신에 사람이나 사물을 가리키는 말입니다. 한 번 나왔던 명사를 대명사로 바꾸어 쓰면 문장을 간결하고 쉽게 만들 수 있습니다. 대명사는 크게 인칭대명사, 지시대명사, 의문대명사, 부정대명사, 관계대명사 다섯 종류로 나뉘는데 인칭대명사는 Unit 06에서 다루었으므로 나머지 네 개의 대명사를 살펴봅시다.

1. 지시대명사

지시대명사는 사람이나 사물을 지시할 때 쓰는 대명사로, 가까이에 있는 것은 this(이것, 이 사람), 좀 떨어져 있는 것은 that(저것, 저 사람)으로 받습니다. 복수형은 these(이것들, 이 사람들), those(저것들, 저 사람들)로 씁니다.

① 명사를 다시 받을 때 쓰는 that과 those

The climate of Korea is like **that** of Japan.
한국의 기후는 일본의 기후와 비슷합니다. 〈that = the climate〉

② those who : ~하는 사람들

Heaven helps **those who** help themselves.
하늘은 스스로 돕는 자를 돕는다.

③ 전자와 후자를 뜻하는 that과 this

I study English and German; **that**(the former) is more difficult than **this**(the latter).

나는 영어와 독일어를 공부합니다. 전자가 후자보다 더 어렵습니다.

(= the former ~ the latter … , the one ~ the other …)

2. 의문대명사

질문할 때 쓰는 대명사로 의문사를 만들 때 문장의 맨 앞에 사용합니다.

① who(누구)

사람의 이름이나 관계를 물어볼 때 쓰며 주격, 소유격, 목적격 세 가지 형태로 변합니다.

Who is he? 그는 누구입니까? 〈주격〉

Whose book is this? 이것은 누구의 책이죠? 〈소유격〉

Whom did you see? 당신은 누구를 봤습니까? 〈목적격〉

* 회화에서는 whom보다 who를 많이 씁니다.

② what(무엇)

보통 사물에 대해 물어볼 때 쓰며, 사람의 직업을 물을 때도 what을 씁니다.

What is it? 그것은 무엇입니까? 〈주격 - 사물〉

What is he? 그는 무슨 일을 합니까? 〈주격 - 사람〉

What do you want to do? 무엇을 하고 싶습니까? 〈목적격〉

③ which(어느 것)

정해진 것들 중 '어떤 것'을 말하는지 물을 때 씁니다.

Which is better? 어느 것이 낫습니까? 〈주격〉

Which do you want? 어느 것을 원합니까? 〈목적격〉

3. 부정대명사

특정한 사람이나 사물이 아니라 막연한 대상을 가리키는 대명사입니다.

하나	**one** 하나
둘	**one** 하나, **the other** 다른 하나
셋 이상	**one** 하나, **another** 다른 하나, **the others[other]** 그 나머지
넷 이상	**some** 일부, **the others[others]** 나머지 전부
몇몇	**some** 몇몇, 어떤 것 〈긍정〉, **any** 몇몇, 어떤 것 〈부정〉
모두	**all** 모두, 모든 일, 모든 것

One is mine, **the other** is yours. 하나는 내 것이고, 다른 하나는 네 것이다.

I need **some** eggs. 달걀이 몇 개 필요합니다.

Please give me **another** cup of coffee. 커피 한 잔만 더 주세요.

4. 관계대명사

앞에서 얘기하는 사람이 누구인지, 또 어떤 물건인지 부연설명을 덧붙일 때 두 개의 문장을 이어주는 역할을 합니다.

선행사	주격	소유격	목적격
사람	who(= that)	whose	who(m)(= that)
사람이나 동물	which (= that)	whose (= of which)	which(= that)
사람 + 사물 (동물)	that		that
사물 (선행사 포함)	what	what	

1) 주격의 who, that

선행사가 사람일 때 who나 that을 사용합니다.

I know the girl **who** is a good pianist. 나는 훌륭한 피아니스트인 그 소녀를 압니다.

2) 주격의 which, that

선행사가 물건이나 동물인 경우 관계대명사 which, that이 쓰입니다.

John has a book **which** is very interesting.
존은 매우 흥미 있는 책을 한 권 갖고 있습니다.

3) 목적격의 whom, that

선행사가 사람일 때 whom, that을 사용합니다.

That is the lady **whom** I loved before. 저 사람은 전에 내가 사랑하던 여자입니다.

4) 소유격의 whose

whose는 대명사의 소유격으로, 선행사가 사물일 경우 whose를 써도 되지만 회화에서는 거의 쓰이지 않습니다.

This is the boy **whose** mother is a famous actress.
이 아이는 그의 어머니가 유명한 여배우인 소년입니다.

반드시 관계대명사 that을 써야 할 때

선행사 앞에 the only, the first, the last, all, every 등 선행사를 한정하는 어구가 올 때, 또는 tallest, biggest와 같은 형용사의 최상급이 올 때는 관계대명사 that을 써야 합니다.

Real Talk

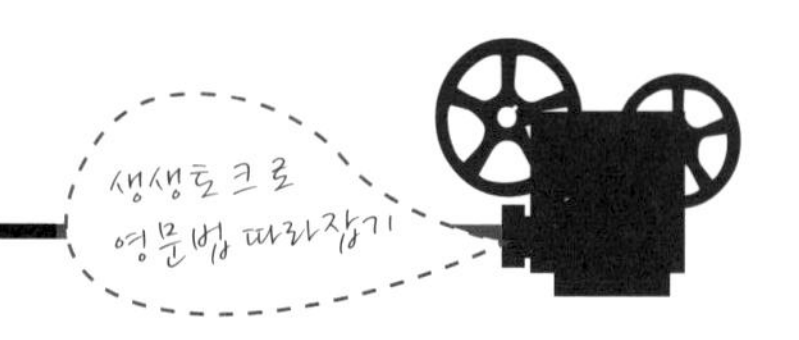

Mira looks at Jenny's photo album.
미라 룩스 앳 제니스 포토 앨범

M : This is my picture album.
디스 이즈 마이 픽쳐ㄹ 앨범

J : It that your father?
이즈 댓 유어ㄹ 파더ㄹ

M : No.
노우

J : Who is he?
후 이즈 히

M : He is my uncle. This is Jane.
히 이즈 마이 엉클 디스 이즈 제인

J : Who's Jane?
후즈 제인

M : She's my cousin.
쉬즈 마이 커즌

Words ++

picture album 사진 앨범 **cousin** [kʌ́zn] *n.* 사촌

미라는 제니의 사진 앨범을 본다.

M : 이것은 제 앨범이에요.

J : 그 분이 아버지세요?

M : 아니오.

J : 누구입니까?

M : 제 삼촌이에요. 이쪽이 제인이에요.

J : 제인은 누구죠?

M : 제 사촌입니다.

Unit 13

what 무엇

1. 의문사

what(무엇), who(누구), which(어느 것), when(언제), where(어디), why(왜), how(어떻게, 어느 정도) 등과 같이 의문의 의미를 나타내는 말을 의문사라고 합니다. 의문사 뒤에 be동사나 일반동사의 의문문 등을 놓으면 질문의 내용이 광범위해집니다. 또한 의문사를 사용한 의문문에는 yes, no로 대답하지 않습니다.

의문사는 쓰임에 따라 의문대명사(what, who, which), 의문형용사(what, which), 의문부사(when, where, why, how)로 나눌 수 있습니다.

2. 의문대명사 what

what은 '무엇'이라는 뜻으로 사람이나 사물의 행동, 직업을 물을 때 씁니다.

What do you want? 뭘 원하세요?
- I want a cookbook. 요리책을 원합니다.

조동사 역할을 하는 do는 인칭이나 시제에 따라 변하고 3인칭 단수이면 does, 과거일 때는 did를 씁니다.

What does he read? 그는 무얼 읽었습니까?
What did you eat at the restaurant? 식당에서 무얼 먹었습니까?

3. 의문형용사 what

명사 앞에서 명사를 꾸며주는 의문사를 의문형용사라고 합니다.

What food do you like? 어떤 음식을 좋아합니까?

- I like Pizza. 나는 피자를 좋아합니다.

Pattern 1 What + be동사 ~?

~은 무엇입니까?

의문사가 있는 be동사 의문문은 〈의문사 + be동사 + 주어 ~?〉의 형태로 나타냅니다.

- **What's** the date today? 오늘은 며칠입니까?
  왓츠 더 데잇 투데이
- **What's** the meaning of this word? 이 말은 무슨 의미입니까?
  왓츠 더 미닝 어브 디스 워ㄹ드
- **What's** your impression of Korea? 한국의 인상은 어떻습니까?
  왓츠 유어ㄹ 임프레션 어브 코리아
- **What are** your plans for the summer vacation? 여름휴가 계획은 무엇입니까?
  왓 아ㄹ 유어ㄹ 플랜즈 풔ㄹ 더 썸머ㄹ 베이케이션

Words ++

date [deit] *n.* 날짜 **impression** [impréʃən] *n.* 인상

Pattern 2 What + 명사 + be동사 ~?

~은 무슨 입니까?

의문사 다음에 명사가 오는 be동사 의문문은 〈의문사 + 명사 + be동사 ~?〉로 나타냅니다.

- **What** day **is** it today? 오늘은 무슨 요일입니까?
  왓 데이 이즈 잇 투데이

- **What** floor **is** the personnel department on?
  왓 플로어ㄹ 이즈 더 퍼ㄹ스넬 디파ㄹ트먼트 온
  인사부는 몇 층입니까?

- **What** kind of person **is** he?
  왓 카인드 어브 퍼ㄹ슨 이즈 히
  그는 어떤 사람입니까?

- **What** part of the United States **are** you from?
  왓 파ㄹ트 어브 디 유나이티드 스테잇츠 아ㄹ 유 프럼
  당신은 미국 어디 출신입니까?

Words ++

day [dei] *n.* 요일 **kind** [kaind] *n.* 종류 **part** [pɑːrt] *n.* 지역

Pattern 3

What do[does] ~?

무엇을 ~합니까?

의문사가 있는 일반동사 의문문에서는 〈의문사 + do[does / did] + 주어 + 동사원형 ~?〉으로 나타냅니다.

- **What do** you want?
  왓 두 유 원트
  당신은 무엇을 원합니까?

- **What do** you do in your free time?
  왓 두 유 두 인 유어ㄹ 프리 타임
  당신은 한가할 때 무엇을 합니까?

- **What does** she think of him?
  왓 더즈 쉬 씽크 어브 힘
  그녀는 그를 어떻게 생각합니까?

- **What does** your company make?
  왓 더즈 유어ㄹ 컴퍼니 메이크
  당신 회사에서는 무엇을 제조하고 있습니까?

- **What does** UFO stand for?
  왓 더즈 유에프오 스탠드 풔ㄹ
  UFO는 무슨 약어입니까?

Words ++

stand for ~을 나타내다

Pattern 4 What + 명사 + do[does] ~?

무슨 …을 ~합니까?

의문사 다음에 명사가 오는 일반동사 의문문에서는 〈의문사 + 명사 + do[does / did] + 주어 + 동사원형 ~?〉의 형태로 나타냅니다.

- **What** company **do** you work for? 당신은 어느 회사에 근무하고 있습니까?
  왓 컴퍼니 두 유 워ㄹ크 풔ㄹ
- **What** time **do** you usually have dinner? 당신은 보통 몇 시에 저녁을 먹습니까?
  왓 타임 두 유 유절리 해브 디너ㄹ
- **What** sports **does** he play? 그는 무슨 스포츠를 합니까?
  왓 스포ㄹ츠 더즈 히 플레이
- **What** kind of music **does** she like? 그녀는 어떤 음악을 좋아합니까?
  왓 카인드 어브 뮤직 더즈 쉬 라이크

Words ++

work for ~ ~에 근무하다

Real Talk

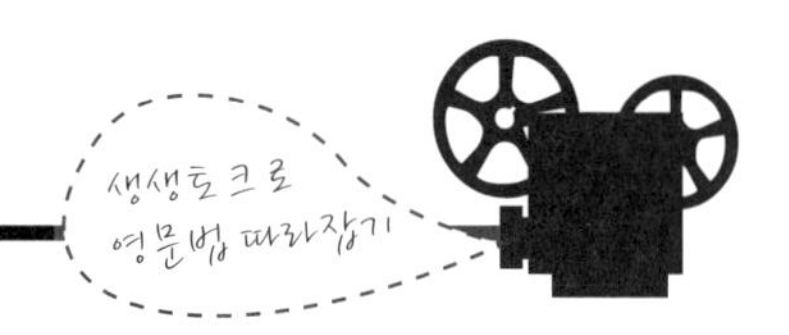

Mira and Wendy go to the amusement park.
미라 앤드 웬디 고우 투 더 어뮤즈먼트 파ㄹ크

M : What's the admission fee?
왓츠 디 애드미션 피

T : Ten dollars for children and fifteen for adults.
텐 달러ㄹ즈 풔ㄹ 칠드런 앤드 피프틴 풔ㄹ 어덜츠

(in the amusement park)
인 더 어뮤즈먼트 파ㄹ크

M : What's that ride?
왓츠 댓 롸이드

W : It's a sub.
잇츠 어 서브

M : What does 'sub' mean?
왓 더즈 서브 민

W : It means submarine.
잇 민즈 서브머린

M : I see.
아이 씨

Let's try it.
렛츠 트라이 잇

W : Okay.
오우케이

Words ++

What's = What is **adult(s)** [ədʌ́lt] *n.* 성인 **sub** [sʌb] *n.* 잠수함(submarine)의 단축형

미라와 웬디는 유원지에 간다.

(T = Ticket Seller)

M : 입장료는 얼마입니까?

T : 아이들은 10달러, 성인은 15달러입니다.

(유원지에서)

M : 저 탈 것은 뭐죠?

W : 서브예요.

M : '서브'란 무슨 뜻이죠?

W : 서브마린(잠수함)이라는 의미에요.

M : 알겠어요. 타봐요.

W : 좋아요.

상대방의 좋은 점을 칭찬하자!

좋은 인간관계를 확립하기 위해서는 서로에 대해 알 필요가 있습니다. 특히, 문화를 달리하는 사람들과 잘 지내기 위해서는 상대방의 장점을 적극적으로 찾고 그것을 말해 주는 것이 중요합니다. 미소 띤 얼굴로 부드럽게 상대의 장점을 칭찬해 봅시다.

회화에서 You are는 보통 You're로 단축해서 쓰며, You're의 발음은 your(당신의)와 같은 [juə:r]입니다.

You are diplomatic. 붙임성이 좋군요. 〈사교성이 좋다는 칭찬 표현〉

You're a very warm and kind person. 당신은 온화하고 친절한 분이군요.

Unit 14

who 누구
whose 누구(것)

1. 의문대명사 who

who는 '누구'라는 뜻으로 사람의 이름이나 신분을 물을 때 씁니다.

Who is he? 그는 누구입니까?

- He is my father. 그는 내 아버지에요.

Who knows the answer? 누가 정답을 아나요?

2. 의문대명사 whose

whose는 '누구의'라는 의미로 소유격을 나타낼 때 씁니다.

Whose car is this? 이것은 누구의 차죠?

Whose book is that? 저것은 누구의 책입니까?

다음의 의문대명사 표를 살펴봅시다.

	주격	소유격(형용사)	목적격
사람	**who**	**whose**	**whom**
사람 / 사물	**what**	-	**what**
사람 / 사물	**which**	**which**	**which**

패턴으로 회화감각 익히기

Pattern 1

Who + be동사 ~?

~은 누구입니까?

사람의 이름이나 관계를 물을 때는 who를 씁니다.

- **Who's** your favorite singer? 당신의 좋아하는 가수는 누구입니까?
  후즈 유어ㄹ 페이버릿 싱어ㄹ
- **Who's** your English teacher? 당신의 영어 선생님은 누구입니까?
  후즈 유어ㄹ 잉글리시 티쳐ㄹ
- **Who's** the woman in the red dress? 빨간 드레스를 입은 여자는 누구입니까?
  후즈 더 우먼 인 더 레드 드레스
- **Who's** the manager of the sales department? 영업부장은 누구입니까?
  후즈 더 매니저ㄹ 어브 더 세일즈 디파ㄹ트먼트

Words ++

Who's = Who is

Pattern 2

Who + 일반동사 ~?

누가 ~합니까?

who가 주어로 쓰이는 경우 일반동사에 -s, -es가 붙습니다.

- **Who** cares? 누가 상관합니까?
  후 케어ㄹ즈
- **Who** helps her? 누가 그녀를 돕습니까?
  후 헬프스 허ㄹ

- **Who** supports his idea? 누가 그의 생각에 찬성합니까?
  후 서포ㄹ츠 히즈 아이디어
- **Who** knows the fax number of AAA Company? 누가 AAA 사의 팩스번호를 알고 있습니까?
  후 노우즈 더 팩스 넘버ㄹ 어브 에이에이에이 컴퍼니

Words ++

support(s) [səpɔ́ːrt] *v.* ~에 찬성하다 **fax** [fæks] *n.* 팩스(**facsimile**의 단축형)

Pattern 3

Whose + be동사 ~?

~은 누구 것입니까?

의문사 다음에 be동사가 오는 경우에는 〈Whose + be동사 ~?〉의 형태로 나타냅니다.

- **Whose is** this? 이것은 누구 것입니까?
  후즈 이즈 디스
- **Whose is** that summer house? 저 별장은 누구 것입니까?
  후즈 이즈 댓 썸머ㄹ 하우스
- **Whose is** the blue camper? 파란 캠핑카는 누구 것입니까?
  후즈 이즈 더 블루 캠퍼ㄹ
- **Whose are** these sneakers? 이 운동화는 누구 것입니까?
  후즈 아ㄹ 디즈 스니커ㄹ즈

Words ++

summer house 피서용 별장 **camper** [kǽmpər] *n.* 캠핑카

Pattern 4

Whose + 명사 + be동사 ~?

~은 누구의 …입니까?

의문사 다음에 명사가 오는 be동사 의문문은 〈의문사 + 명사 + be동사 ~?〉로 나타냅니다.

- **Whose** wallet **is** this? 이것은 누구의 지갑입니까?
  후즈 월릿 이즈 디스
- **Whose** briefcase **is** that? 저것은 누구의 서류가방입니까?
  후즈 브리프케이스 이즈 댓
- **Whose** daughter **is** Emily? 에밀리는 누구의 딸입니까?
  후즈 더러ㄹ 이즈 에밀리
- **Whose** sunglasses **are** these? 이것은 누구의 선글라스입니까?
  후즈 선글래시즈 아ㄹ 디즈
- **Whose** books **are** those? 저것들은 누구의 책입니까?
  후즈 북스 아ㄹ 도우즈

Words ++

briefcase [brí:fkèis] *n.* (가죽으로 만든) 서류가방
sunglasses [sʌnglæsiz] *n.* 〈복수형으로〉 선글라스

Real Talk

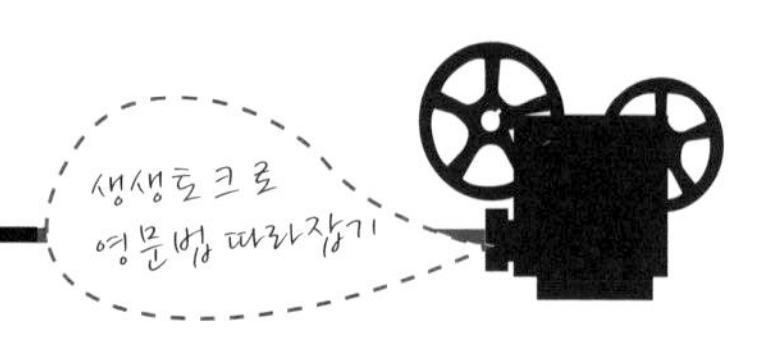

Mira looks at Wendy's photo album.
미라 룩스 앳 웬디즈 포토 앨범

M : Whose album is this?
후즈 앨범 이즈 디스

W : It's mine.
잇츠 마인

M : May I look at it?
메이 아이 룩 앳 잇

W : Sure?
슈어ㄹ

M : Wow! There's a monster. Who is it?
와우 데어ㄹ즈 어 먼스터ㄹ 후 이즈 잇

W : It's me.
잇츠 미

M : Who took this photograph?
후 툭 디스 포토그랩

W : My father did.
마이 파더ㄹ 디드

He took it on Halloween.
히 툭 이 온 할로윈

Words ++

monster [mánstər] *n.* 괴물

Halloween [hæ̀ləwín] *n.* 할로윈(10월 31일 밤)

미라는 웬디의 사진 앨범을 본다.

M: 이건 누구 앨범이죠?

W: 제 것이에요.

M: 봐도 될까요?

W: 물론이에요.

M: 와! 괴물이 있네요. 누구죠?

W: 나예요.

M: 누가 이 사진을 찍었어요?

W: 아버지가요.
할로윈 때 찍어 주셨어요.

소유대명사

회화 중의 질문 Whose album is this?에 대해서는 It's my album. 또는 It's mine.이라고 대답할 수 있습니다. mine은 '내 것'이라는 의미로 뒤에 명사가 붙지 않습니다.

* Unit 12. 소유대명사 참고

Unit 15

which 어느

1. 의문대명사 which

which는 '어느 것'이란 뜻으로 사람이나 사물을 선택하는 의문문에 쓰입니다.

Which is yours, this or that one? 당신 것이 어떤 거예요, 이거예요 저거예요?
- This one is mine. 이게 내 거야.

Which do you like better, coke or juice? 콜라와 주스 중 어느 것을 더 좋아합니까?
- I like juice. 주스를 좋아해요.

2. 의문형용사 which

의문사 which 다음에 명사가 오면 이것들은 의문형용사라고 합니다.

Which color do you like best? 어떤 색을 가장 좋아합니까?
- I like pink best. 핑크색을 가장 좋아해요.

* what과 which의 차이점

일반적으로 구별 없이 쓰지만 굳이 구별을 하자면 what은 선택권을 넓게 주면서 물을 때 사용하고, which는 제한된 선택을 주며 질문을 할 때 사용합니다.

What sport do you like? 어떤 운동을 좋아하세요?
Which sport do you like better - baseball or basketball?
어떤 운동을 더 좋아하세요 - 야구 아니면 농구?

3. 의문사를 이용한 유용한 표현

What's the matter? 무슨 일입니까?

What's on your mind? 마음에 두고 있는 것은 무엇입니까?

Who's late? 늦은 건 누구입니까?

Which do you prefer, coffee or tea? 커피와 홍차 중에서 어느 것을 더 좋아합니까?

패턴으로 회화감각 익히기

Pattern 1

Which + be동사 ~?

어느 것이 ~입니까?

- **Which is** mine? 어느 것이 내 것입니까?
  위치 이즈 마인
- **Which is** yours? 어느 것이 당신 것입니까?
  위치 이즈 유어ㄹ즈
- **Which is** his desk? 어느 것이 그의 책상입니까?
  위치 이즈 히즈 데스크
- **Which is** her coat? 어느 것이 그녀의 코트입니까?
  위치 이즈 허ㄹ 코우트
- **Which is** Mr. Taylor's office? 어느 것이 테일러 씨의 사무실입니까?
  위치 이즈 미스터ㄹ 테일러ㄹ즈 오피스

Pattern 2

Which + 명사 + be동사 ~?

어느 …이 ~입니까?

- **Which** umbrella **is** hers? 어느 우산이 그녀의 것입니까?
  위치 엄브렐러 이즈 허ㄹ즈
- **Which** boy **is** Andy? 어느 남자가 앤디입니까?
  위치 보이 이즈 앤디
- **Which** way **is** your house? 당신 집은 어느 길입니까?
  위치 웨이 이즈 유어ㄹ 하우스
- **Which** magazines **are** popular with women? 어느 잡지가 여성에게 인기가 있습니까?
  위치 매거진스 아ㄹ 파퓰러ㄹ 위드 위민

Words ++

umbrella [ʌmbrélə] *n.* 우산　　**way [wei]** *n.* 길

Pattern 3 Which + 명사 + do[does] ~?

어느 …을 ~합니까?

- **Which** dish **do** you recommend? 어느 요리를 추천해 주시겠습니까?
  위치 디쉬 두 유 레커멘드
- **Which** newspaper **do** you read? 당신은 어느 신문을 읽고 있습니까?
  위치 뉴스페이퍼ㄹ 두 유 리드
- **Which** one **do** you like? 당신은 어느 것을 좋아합니까?
  위치 원 두 유 라이크
- **Which** platform **does** the train leave from? 열차는 어느 플랫폼에서 출발합니까?
  위치 플랫퓜 더즈 더 트레인 리브 프럼
- **Which** type of computer **do** you use? 당신은 어느 타입의 컴퓨터를 쓰고 있습니까?
  위치 타입 어브 컴퓨터ㄹ 두 유 유즈

Words ++

dish [diʃ] *n.* 요리　　**recommend** [rèkəmén] *v.* ~을 추천하다

Pattern 4 Which + 명사 + 일반동사 ~?

어느 …이 ~합니까?

- **Which** road goes to San Francisco? 어느 길이 샌프란시스코로 가는 길입니까?
  위치 로우드 고우즈 투 샌프런시스코우
- **Which** bus stops near the Library of Congress? 어느 버스가 국회도서관 근처에 섭니까?
  위치 버스 스탑스 니어ㄹ 더 라이브러리 어브 컨그레스

- **Which** watch costs less? 어느 시계가 쌉니까?
  위치 워치 코스츠 레스
- **Which** medicine works better? 어느 약이 잘 듣습니까?
  위치 메드신 워ㄹ크스 베러ㄹ

Words ++

the Library of Congress *n.* (미국의) 의회 도서관 **less** [les] *a.* 보다 적은
work [wəːrk] *v.* 효과가 있다

Real Talk

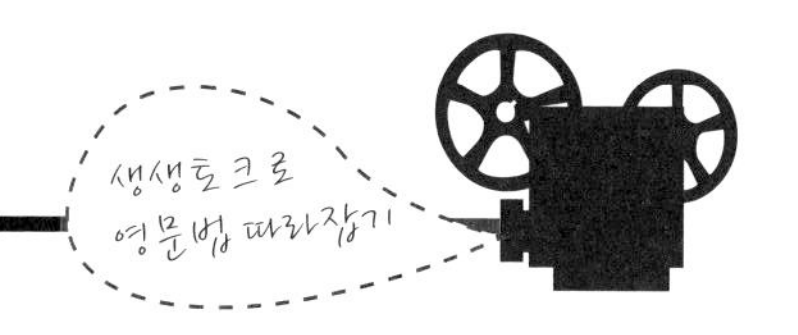

Mira goes shopping and finds a sweater in the show window.
미라 고우즈 쇼핑 앤 파인즈 어 스웨터ㄹ 인 더 쇼우 윈도우

M : Excuse me.
익스큐즈 미

Could you show me the sweater in the window?
쿠쥬 쇼우 미 더 스웨터ㄹ 인 더 윈도우

C : Certainly.
써ㄹ튼리

Which one do you want?
위치 원 두 유 원트

M : The pink one.
더 핑크 원

C : Here you are.
히어ㄹ 유 아ㄹ

M : Thank you. Oh, here's a green one.
땡큐 오 히어ㄹ즈 어 그린 원

Which color suits me?
위치 컬러ㄹ 숫츠 미

C : Pink, I think.
핑크 아이 씽크

M : All right. I'll take the pink one.
올 롸잇 아일 테익 더 핑크 원

Words ++

certainly [sə́ːrtnli] *ad.* 알았습니다, 확실히 **one** [wʌn] *pron.* 것 **take** [teik] *v.* ~을 사다

미라는 쇼핑하러 가서 쇼윈도에서 스웨터를 발견했다.

(C = Clerk)

M : 실례합니다.
진열되어 있는 스웨터를 보여 주시겠습니까?

C : 알겠습니다.
어느 스웨터를 원하십니까?

M : 핑크색입니다.

C : 여기 있습니다.

M : 감사합니다. 아, 녹색이 있군요.
어느 색이 제게 어울릴까요?

C : 핑크인 것 같은데요.

M : 알았습니다. 핑크색을 주세요.

one에 대해서

one은 앞에 나온 명사 대신 사용되어 '~것'이라는 의미를 나타냅니다. 회화의 The pink one.과 Oh, here's a green one.의 one은 sweater를 가리킵니다.

Unit 16

when 언제

1. 의문부사

의문사가 부사 역할을 하고 시간이나 장소, 방법 등을 물을 때 사용하는 것을 의문부사라고 합니다. 의문부사에는 when, where, why, how 등이 있으며 문두에 놓입니다.

2. 의문부사 when

'때'를 물을 때 의문부사인 when이 사용되는데 이때 대답은 yes나 no로 할 수 없습니다. where로 물으면 장소를 묻고 있기 때문에 있는 장소로 대답해야 하며, when으로 물으면 시간(때)으로 대답해야 합니다.

When did you go there? 언제 거기에 갔습니까?

- I went there yesterday. 어제 갔습니다.

- Yesterday. 어제요.

* 회화체에서는 보통 '때'나 '장소'만을 전치사나 부사로 대답합니다.

Pattern 1

When + be동사 ~?

언제 ~입니까?

- **When's** his graduation? 그의 졸업은 언제입니까?
  웬즈 히즈 그레주에이션
- **When's** her wedding? 그녀의 결혼은 언제입니까?
  웬즈 허ㄹ 웨딩
- **When's** your appointment with the dentist? 치과의사와의 약속은 언제입니까?
  웬즈 유어ㄹ 어포인트먼트 위드 더 덴티스트
- **When's** your baby due? 출산 예정일은 언제입니까?
  웬즈 유어ㄹ 베이비 듀
- **When's** the museum open? 미술관은 언제 열려 있습니까?
  웬즈 더 뮤지엄 오픈
- **When's** the deadline? 마감은 언제입니까?
  웬즈 더 데드라인
- **When's** the meeting? 회의는 언제입니까?
  웬즈 더 미팅
- **When's** the next flight for Los Angeles? 로스앤젤레스행 다음 편은 언제입니까?
  웬즈 더 넥스트 플라잇 풔ㄹ 로스앤젤레스
- **When's** the BTS concert? 방탄소년단의 콘서트는 언제입니까?
  웬즈 더 비티에스 콘서ㄹ트
- **When's** Thanksgiving Day? 추수감사절은 언제입니까?
  웬즈 땡스기빙 데이

Words ++

graduation [grӕʤuéiʃən] *n.* 졸업식
due [djuː] *a.* 예정인
deadline [dedlàin] *n.* 마감
flight [flait] *n.* (항공기의) 편
Thanksgiving Day 추수감사절(11월 네 번째 목요일)

Pattern 2

When do[does] ~?

언제 ~합니까?

What time ~?은 시간을 물을 때 사용하지만, When ~?은 시간·날짜·년·요일·계절 등을 물을 수 있으므로 What time ~? 보다 폭넓게 쓸 수 있습니다.

- **When do** you usually get home?
  웬 두 유 유절리 겟 호움
  당신은 대개 언제 귀가합니까?
- **When do** you usually go to bed?
  웬 두 유 유절리 고우 투 베드
  당신은 대개 언제 잡니까?
- **When do** you have free time?
  웬 두 유 해브 프리 타임
  당신은 언제 한가합니까?
- **When do** you expect him back?
  웬 두 유 익스펙트 힘 백
  그가 언제 돌아올 것 같습니까?
- **When does** he usually get off work?
  웬 더즈 히 유절리 겟 오프 워ㄹ크
  그는 보통 언제 퇴근합니까?
- **When does** she jog?
  웬 더즈 쉬 조그
  그녀는 언제 조깅을 합니까?
- **When does** the Christmas sale begin?
  웬 더즈 더 크리스마스 세일 비긴
  크리스마스 세일은 언제 시작합니까?
- **When does** this store close?
  웬 더즈 디스 스토어ㄹ 클로우즈
  이 가게는 언제 닫습니까?
- **When does** the 5:00 train get to Baltimore?
  웬 더즈 더 파이브 트레인 겟 투 볼티모어ㄹ
  5시 열차는 언제 볼티모어에 도착합니까?

Words ++

expect [ikspékt] *v.* ~을 기대하다

get home 귀가하다

jog [dʒɑg] *v.* 조깅하다

get to ~ ~에 도착하다

Real Talk

Steve asks Mira to the movies.
스티브 애스크스 미라 투 더 무비즈

S : What kind of movies do you like, Mira?
왓 카인드 어브 무비즈 두 유 라이크 미라

M : I like adventure movies.
아이 라이크 어드벤쳐ㄹ 무비즈

S : The Adventures of Robinson Crusoe is at the Academy Theater.
디 어드벤쳐ㄹ스 어브 로빈슨 크루소 이즈 앳 디 아카데미 씨어터ㄹ

Do you want to see it?
두 유 원트 투 씨 잇

M : Sure!
슈어ㄹ

S : When's convenient for you?
웬즈 컨비니언트 풔ㄹ 유

M : This Saturday is fine.
디스 쌔러ㄹ데이 이즈 파인

When does the movie start?
웬 더즈 더 무비 스타ㄹ트

S : It starts at one thirty.
잇 스타ㄹ츠 앳 원 써ㄹ티

M : I'm looking forward to seeing it.
아임 루킹 풔ㄹ워ㄹ드 투 씽잉 잇

Words ++

When's = When is

adventure(s) [ædvéntʃər] *n.* 모험

look forward to ~ ~을 즐겁게 기다리다

스티브가 미라에게 영화구경을 권한다.

S : 어떤 영화를 좋아해요, 미라?

M : 모험영화를 좋아해요.

S : 아카데미 극장에서 '로빈슨 크루소의 모험'을 상영하고 있어요.
보고 싶어요?

M : 물론이죠!

S : 언제가 편하겠어요?

M : 이번 토요일이 좋아요.
영화는 언제 시작하죠?

S : 1시 반에 시작돼요.

M : 기대 되는군요.

Surprise Party

Surprise Party는 생일을 맞이하는 사람에게는 비밀로 하고 파티를 계획해서 주인공을 놀라게 하는 파티를 가리킵니다. 저자가 미국에서 생일을 맞이했을 때의 일. 생일이라는 것도 잊고 대학의 기숙사에 돌아와서 방문을 열자 갑자기 Surprise!라는 룸메이트들의 소리와 함께 테이블 위에는 커다란 케이크가 있는 것이 아닌가! Happy Birthday!(생일 축하해요!)라고 하며 놀래주거나 기쁘게 해서 마음이 벅차올랐습니다. 지금까지도 추억에 남는 생일파티입니다.

Unit 17

where 어디

1. 길 묻는 법

길을 물을 때 모르는 사람에게 갑자기 '~은 어디 있습니까?'라고 말을 거는 것은 실례이므로 Excuse me.(실례합니다.) 또는 Pardon me.(실례합니다.)라고 말하고 나서 Where ~?로 묻습니다.

만약 상대방의 설명을 잘 알아듣지 못하겠으면 약도를 그려달라고 해 봅시다. 이럴 때에는 Could you draw me a map?(약도를 그려 주시겠어요?)라는 표현을 씁니다.

2. 의문부사 where

문장 속의 부사(구) 부분이 의문의 대상이 되었을 때 쓰이는 의문사 where는 '장소'를 물을 때 씁니다.

Where do you live? 어디에 살아요?

- I live in Seoul. 나는 서울에 살아요.

- In Seoul. 서울에요. *회화체

Where is my pen? 제 펜이 어디 있죠?

Where are we? 여기가 어디죠?

* Where were we?는 직역하면 '우리들은 (그때) 어디에 있었던 걸까?'라는 의미. 대화가 화제에서 빗나갔을 때 '무슨 얘기를 하고 있었지?'라는 의미로 종종 사용됩니다.

Pattern 1 Where + be동사 ~?

~은 어디에 있습니까?

- **Where's** Richmond? 리치몬드는 어디에 있습니까?
  웨어ㄹ즈 리치몬드
- **Where's** Beach Street? 비치 거리는 어디입니까?
  웨어ㄹ즈 비치 스트릿ㅌ
- **Where's** Mike now? 마이크는 지금 어디 있습니까?
  웨어ㄹ즈 마이크 나우
- **Where's** the rest room? 화장실은 어디에 있습니까?
  웨어ㄹ즈 더 레스트 룸
- **Where's** the bank? 은행은 어디 있습니까?
  웨어ㄹ즈 더 뱅크
- **Where's** the flashlight? 손전등은 어디 있습니까?
  웨어ㄹ즈 더 플래시라이트
- **Where's** the Hillside Hotel? 힐 사이드 호텔은 어디 있습니까?
  웨어ㄹ즈 더 힐사이드 호우텔
- **Where's** my seat? 제 자리는 어디입니까?
  웨어ㄹ즈 마이 씻ㅌ
- **Where are** the spoons? 스푼은 어디 있습니까?
  웨어ㄹ 아ㄹ 더 스푼스
- **Where are** you from? 당신은 어디 출신입니까?
  웨어ㄹ 아ㄹ 유 프럼

Words ++

Where's = Where is
rest room *n.* (호텔 · 식당 등의) 화장실
Richmond [rítʃmənd] *n.* 버지니아 주의 주도
flashlight [flæʃlàit] *n.* 손전등

Pattern 2

Where do[does] ~?

어디에서 ~합니까?

- **Where do** you live? 당신은 어디에 살고 있습니까?
  웨어ㄹ 두 유 리브
- **Where do** you buy your groceries? 당신은 어디에서 식료품을 삽니까?
  웨어ㄹ 두 유 바이 유어ㄹ 그로서리즈
- **Where does** Bob work? 밥은 어디에서 일합니까?
  웨어ㄹ 더즈 밥 워ㄹ크
- **Where does** he usually go fishing? 그는 항상 어디에서 낚시합니까?
  웨어ㄹ 더즈 히 유절리 고우 피싱
- **Where does** he usually spend his vacation? 그는 휴가를 보통 어디에서 보냅니까?
  웨어ㄹ 더즈 히 유절리 스펜드 히즈 베이케이션
- **Where does** she keep the jam? 그녀는 어디에 잼을 보관하고 있습니까?
  웨어ㄹ 더즈 쉬 킵 더 잼
- **Where does** your sister go to school? 당신 여동생은 어느 학교에 다닙니까?
  웨어ㄹ 더즈 유어ㄹ 씨스터ㄹ 고우 투 스쿨
- **Where does** she have lunch? 그녀는 어디에서 점심을 먹습니까?
  웨어ㄹ 더즈 쉬 해브 런치
- **Where does** it hurt? 어디가 아픕니까?
  웨어ㄹ 더즈 잇 허ㄹ트
- **Where do** they practice baseball? 그들은 어디에서 야구연습을 합니까?
  웨어ㄹ 두 데이 프랙티스 베이스볼

Words ++

groceries [gróusəris] *n.* 〈복수형으로〉 식료품류
go fishing 낚시하러 가다
hurt [[hə:rt] *v.* 아프다

Real Talk

생생토크로
영문법 따라잡기

Mira gets lost on her way home.
미라 겟츠 로스트 온 허ㄹ 웨이 호움

J : Hey, Mira!
헤이 미라

M : Oh, Jim!
오우 짐

I'm lost. Where am I?
아임 로스트 웨어ㄹ 앰 아이

J : You're on Grace Street.
유아ㄹ 온 그레이스 스트릿ㅌ

Your house is near here.
유어ㄹ 하우스 이즈 니어ㄹ 히어ㄹ

I'll take you home.
아일 테이크 유 호움

M : Thank you very much, Jim.
땡큐 베리 머치 짐

I'm so relieved.
아임 쏘우 릴리브드

Words ++

take [teik] *v.* (사람)을 데리고 가다 **relieved** [rilíːv] *v.* 〈be relieved로〉 안심하다

미라가 귀가 중에 길을 잃었다.

J : 이봐, 미라!

M : 아, 짐.

길을 잃었어요. 여기가 어디죠?

J : 그레이스 거리예요.

여기서 집은 가까워요.

제가 집으로 데려다 줄게요.

M : 고마워요, 짐.

이제 살았어요.

a friend of mind

내 친구는 my friend, 한 친구는 a friend로 표현합니다. 하지만 나의 한 친구로 친구를 설명해주는 관사와 소유격이 둘 다 한꺼번에 친구를 꾸며줄 경우에 my a friend로 표현하기 쉽습니다. 하지만 관사와 소유격을 나란히 사용할 수 없습니다. 그래서 소유격 my를 대명사 mine으로 바꿔 다음과 같이 말해야 합니다.

a friend of mine

Unit 18

why 왜

1. Why don't you ~?의 두 가지 의미

Why don't you call her?는 '왜 그녀에게 전화하지 않습니까?'라고 물을 경우와 '그녀에게 전화하는 게 어떻겠습니까?'라고 권유하는 경우가 있어서 쓰이는 상황에 따라 의미가 바뀝니다. 당연히 위 문장에 대한 대답도 달라집니다. '왜'라고 묻는 경우에는 because(~때문에)를 써서 Because I don't know her phone umber.(그녀의 전화번호를 모르기 때문에요.)라고 대답합니다. 전화를 걸도록 권유받고 '좋은 생각이에요.'라고 대답할 때에는 That's a good idea.라고 합니다.

2. 의문부사 why

의문부사 why는 문장 맨 앞에 와서 의문문을 유도하거나 간접의문문을 만들 수 있습니다. why는 '왜'라는 뜻으로 이유를 물을 때 씁니다. Why ~?로 묻는 의문사의 대답은 보통 because로 시작합니다.

Why did you walk out? 왜 걸어 나갔어요?

- I felt sick. 아파서요.

Why did you cry? 왜 울었어요?

Why were you late? 왜 늦었어요?

* '왜'를 뜻하는 말로 why도 있지만 How come ~?도 있습니다. '어떻게 왔길래'가 아니라 '왜'라는 의미임을 명심해야 합니다. How come you were late?은 '왜 늦었습니까?'라고 해석해야 합니다. How come?이라고 짧게 묻기도 합니다.

패턴으로 회화감각 익히기

Pattern 1 Why + be동사 ~?

왜 ~입니까?

- **Why am** I so tired? 나는 왜 이렇게 피곤할까요?
  와이 앰 아이 쏘우 타이어ㄹ드
- **Why are** you so slim? 당신은 왜 그렇게 말랐습니까?
  와이 아ㄹ 유 쏘우 슬림
- **Why is** Meg absent today? 멕은 왜 오늘 결근입니까?
  와이 이즈 멕 앱슨터 투데이
- **Why is** he in such a hurry? 그는 왜 그렇게 서두릅니까?
  와이 이즈 히 인 써치 어 허리
- **Why is** it so expensive? 왜 그렇게 값이 비쌉니까?
  와이 이즈 잇 쏘우 익스펜시브

Words ++

slim [slim] *a.* 호리호리한

Pattern 2 Why + do[does] ~?

왜 ~합니까?

- **Why do** you think so? 왜 그렇게 생각합니까?
  와이 두 유 씽(크) 쏘우
- **Why do** you need a new computer? 왜 새 컴퓨터가 필요합니까?
  와이 두 유 니드 어 뉴 컴퓨러ㄹ
- **Why does** he like her so much? 왜 그는 그렇게 그녀를 좋아합니까?
  와이 더즈 히 라익 허ㄹ 쏘우 머치

- **Why does** she study French so hard?
  와이 더즈 쉬 스터디 프렌치 쏘우 하ㄹ드
  왜 그녀는 그렇게 열심히 불어를 공부합니까?

Words ++

French [frentʃ] *n.* 프랑스어

Pattern 3

Why don't you ~?

(당신은) ~하면 어떻습니까?

상대방에게 권유하거나 가볍게 명령할 때 사용하는 표현으로 How about ~?으로도 쓸 수 있습니다.

- **Why don't you** sit down?
  와이 돈츄 씻 다운
  잠깐 앉으시죠?
- **Why don't you** ask him?
  와이 돈츄 애스크 힘
  그에게 물어보지 그러세요?
- **Why don't you** join us?
  와이 돈츄 조인 어스
  함께 하지 않겠어요?
- **Why don't you** come over this Saturday?
  와이 돈츄 컴 오우버ㄹ 디스 쌔러ㄹ데이
  이번 주 토요일에 오지 않겠어요?

Words ++

come over 멀리서 찾아오다

Pattern 4

Why don't we ~?

(우리) ~하면 어떻습니까?

제안할 경우에 쓰는 격의 없는 표현입니다.

- **Why don't** we go to Disneyland? 디즈니랜드에 가지 않을래요?
  와이 돈ㅌ 위 고우 투 디즈니랜드
- **Why don't** we eat out today? 오늘 외식하지 않을래요?
  와이 돈ㅌ 위 잇 아웃 투데이
- **Why don't** we meet at the station at one? 1시에 역에서 만나는 게 어때요?
  와이 돈ㅌ 위 밋 앳 더 스테이션 앳 원

Words ++

eat out 외식하다 **meet** [mi:t] *v.* 만나다

Real Talk

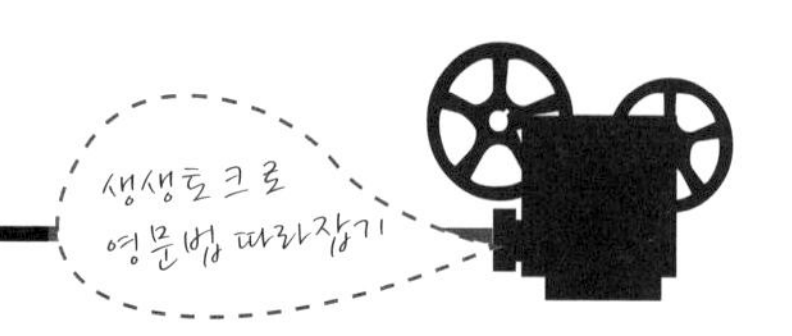

The Johnsons and Mira are having dessert.
더 존슨스 앤드 미라 아ㄹ 해빙 디저ㄹ트

Js : Would you like another piece of pie?
우쥬 라익 어나더ㄹ 피스 어브 파이

Jr : Yes, please.
예스 플리즈

M : This apple pie is very good.
디스 애플 파이 이즈 베리 굿

Js : I'm glad you like it.
아임 글래드 유 라이크 잇

Jr : My trousers are too tight.
마이 트라우저ㄹ스 아ㄹ 투 타이트

Why am I so fat?
와이 앰 아이 쏘우 팻ㅌ

W : Because you eat too much.
비커우즈 유 이 잇 투 머치

Jr : You're right.
유아ㄹ 롸이트

I have to go on a diet.
아이 해브 투 고우 온 어 다이어트

Words ++

trousers [tráuzəːrz] *n.* 〈복수형으로〉 바지
tight [tait] *a.* 꼭 끼는
fat [fæt] *a.* 살찐
go on a diet 다이어트 하다

존슨 가족과 미라는 디저트를 먹고 있다.

Js : 파이를 한 조각 더 들겠어요?

Jr : 예, 주세요.

M : 이 애플파이는 아주 맛있어요.

Js : 좋아한다니 기뻐요.

Jr : 바지가 너무 끼네요.
왜 이렇게 살이 쪘지?

W : 너무 많이 먹어서 그래요.

Jr : 맞아요.
다이어트를 해야 해요.

인칭대명사의 나열 순서

인칭대명사 2개를 함께 사용해야 할 경우 인칭대명사의 나열 순서는 단수인 경우, 2인칭, 3인칭, 1인칭 순으로 표현하고 복수인 경우에는 1인칭, 2인칭, 3인칭 순서로 표현합니다. 예를 들면 you and I, he and I, she and I, we and you, you and they 등으로 표현하면 됩니다.

Unit 19

how 어떻게, 어느 정도

1. how의 사용

1) 방법이나 정도를 물을 때

How are you? 어떻게 지내세요?

How do you do? 안녕하세요? 〈처음 만날 때〉

How was your vacation? 휴가는 어땠어요?

2) 교통수단을 물을 때

How do you usually get to work? 보통 직장에 어떻게 가세요?

How can I get to the station? 역에 어떻게 갈 수 있어요?

3) 시간이 얼마나 걸리는지를 물을 때

How long does it take me to get to your place?
당신이 있는 곳에 가려면 얼마나 걸립니까?

How long does it take to get to the station from your school by bus?
학교에서 역까지 버스로 얼마나 걸립니까?

4) how는 단독으로도 사용하지만 뒤에 형용사나 부사와 함께 사용하기도 한다.

How *old* is your sister? 〈how + 형용사〉
여동생은 몇 살입니까?

How *tall* are you? 〈how + 형용사〉
키가 몇입니까?

How *often* do you clean your room? 〈how + 부사〉
얼마나 자주 방을 청소합니까?

How *far* is it Suwon Station? 〈how + 부사〉
수원역까지 얼마나 멀어요?

2. how many와 how much

how many는 수를, how much는 양을 묻는 표현입니다.

How many people were there in the meeting? 〈수〉
모임에 몇 명 참석했습니까?

How much money do you have? 〈양〉
돈을 얼마나 가지고 있어요?

Pattern 1 How + be동사 ~?

어떻게 ~입니까?

정도를 물을 때 씁니다.

- **How's** business? 사업은 어떻습니까?
  하우즈 비즈니스
- **How's** the weather in Chicago in winter? 시카고의 겨울 날씨는 어떻습니까?
  하우즈 더 웨더ㄹ 인 시카고 인 윈터ㄹ
- **How's** that Italian restaurant? 저 이태리 식당은 어떻습니까?
  하우즈 댓 이탤리언 레스터런ㅌ
- **How are** things with Frank? 프랭크의 상태는 어떻습니까?
  하우 아ㄹ 씽즈 위드 프랭크

Words ++

How's = How is

Pattern 2 How + 형용사[부사] + be동사 ~?

얼마나 ~입니까?

의문사 how는 보통 단독으로 사용하지만 뒤에 형용사나 부사와 함께 사용하기도 합니다.

- **How** old **is** your father? 당신 아버지는 몇 살입니까?
  하우 오울드 이즈 유어ㄹ 파더ㄹ

- **How** far **is** the supermarket from here? 슈퍼마켓은 거리가 여기에서 얼마나 됩니까?
  하우 파ㄹ 이즈 더 수퍼ㄹ마ㄹ킷ㅌ 프럼 히어ㄹ
- **How** much **is** this T-shirt? 이 티셔츠를 얼마입니까?
  하우 머치 이즈 디스 티-셔ㄹ-트
- **How** heavy **is** this parcel? 이 소포의 무게는 얼마입니까?
  하우 헤비 이즈 디스 파ㄹ슬
- **How** long **is** the warranty on this watch? 이 시계의 보증기간은 얼마 동안입니까?
  하우 롱 이즈 더 워런티 온 디스 워치

Words ++

T-shirt [tiːʃəːrt] *n.* 티셔츠
parcel [pάːrsəl] *n.* 소포
warranty [wɔ́(ː)rənti] *n.* 보증(기간)

Pattern 3

How do[does] ~?

어떻게 ~합니까?

how 다음에 일반동사가 올 때는 do[does]가 필요하며 '방법이나 정도'를 물을 때 씁니다.

- **How do** you spell your name? 당신의 이름은 어떻게 씁니까?
  하우 두 유 스펠 유어ㄹ 네임
- **How do** you use this copy machine? 이 복사기는 어떻게 사용합니까?
  하우 두 유 유즈 디스 카피 머신
- **How do** you spend your weekends? 주말은 어떻게 보냅니까?
  하우 두 유 스펜드 유어ㄹ 위켄즈
- **How do** you feel about it? 그것을 어떻게 생각합니까?
  하우 두 유 필 어바웃 잇
- **How does** this mushroom soup taste? 이 버섯 수프 맛은 어떻습니까?
  하우 더즈 디스 머쉬룸 수프 테이스트

Words ++

spell [spel] *v.* 철자하다　　**taste** [teist] *v.* ~의 맛이 나다

Pattern 4

How + 형용사[부사] + do[does] ~?

얼마나 ~합니까?

how는 금액, 빈도, 수나 양을 물을 때에도 사용됩니다.

- **How** much **do** I owe you? 얼마입니까?
  하우 머치 두 아이 오우 유
- **How** much **does** a round-trip ticket to Miami cost? 마이애미행 왕복표는 얼마입니까?
  하우 머치 더즈 어 라운드 트립 티켓 투 마이애미 코스트
- **How** often **does** the Number 30 bus run? 30번 버스는 몇 분마다 운행합니까?
  하우 오픈 더즈 더 넘버ㄹ 써ㄹ티 버스 런
- **How** many brothers and sisters **do** you have? 형제자매는 몇 명 있습니까?
  하우 매니 브라더ㄹ즈 앤 씨스터ㄹ즈 두 유 해브

Words ++

owe [ou] *v.* (돈을) 빚지다　　**round-trip** [raund-trip] *a.* 왕복의

Real Talk

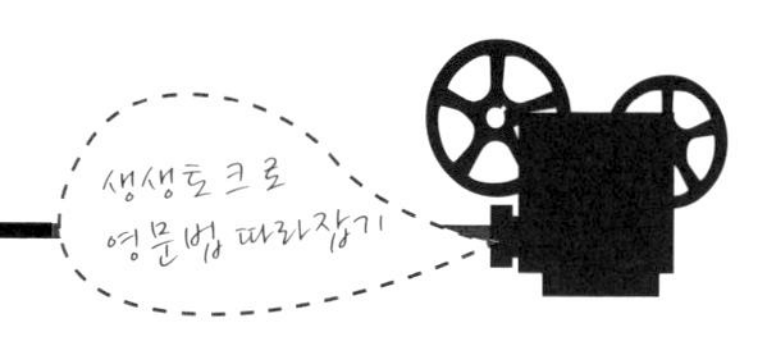

Mira buys some stamps at the post office.
미라 바이즈 썸 스탬스 앳 더 포스트 오피스

C : Hi!
하이

M : Hi! I'd like to spend these postcards and letters to Korea.
하이 아이드 라익 투 스펜드 디즈 포스트카ㄹ즈 앤 레러ㄹ즈 투 코리아

C : By air mail?
바이 에어ㄹ 메일

M : Yes. How much are they?
예스 하우 머치 아ㄹ 데이

C : Forty cents for a postcard and fifty cents for a letter.
풔ㄹ티 센츠 풔러 포스트카ㄹ드 앤 피프티 센츠 풔러 레러ㄹ

M : Please give me 3 forty-cent stamps and 3 fifty-cent stamps.
플리즈 기브 미 쓰리 풔ㄹ티 센트 스탬스 앤 쓰리 피프티 센트 스탬스

C : All right.
올 롸이ㅌ

Words ++

would like to ~ ~를 원하다

air mail 항공우편

postcard(s) [póustkɑ̀ːrd] *n.* 우편엽서

미라가 우체국에서 우표를 산다.

(C = Clerk 사무원)

C : 안녕하세요!

M : 안녕하세요. 이 엽서와 편지를 한국에 부치고 싶어요.

C : 항공편입니까?

M : 예, 얼마인가요?

C : 엽서가 40센트, 편지는 50센트입니다.

M : 40센트짜리 우표 3장과 50센트짜리 우표 3장 주세요.

C : 알겠습니다.

How do you want the money?

은행에서 돈을 환전할 때 은행원이 How do you want the money?(돈을 어떻게 드릴까요?)라고 물으면 다음과 같이 대답합니다. 예를 들어 50달러 지폐 1장을 20달러 지폐 1장, 10달러 지폐 1장, 5달러짜리 2장, 그리고 1달러짜리 10장으로 거슬러 받고 싶다면 One twenty, one ten, two fives, and ten ones, please.라고 합니다. one twenty의 one은 개수이고 twenty는 twenty-dollar bill(20달러짜리 지폐)을 가리킵니다. two fives(5달러짜리 2장)와 같이 장수가 복수면 액수도 복수형으로 나타냅니다.

주어 + am[are, is] + -ing.

…은 ~하고 있습니다.

1. 진행형

진행형이란 어떤 동작을 계속 하고 있는 것을 나타내는 것입니다. 현재의 내용이라면 '~하고 있다, ~ 계속 하고 있다'가 되고 과거의 내용이면 '~하고 있었다, ~ 계속 하고 있었다'가 됩니다. 이러한 진행형은 〈be동사 + -ing〉 형태를 취합니다.

2. 현재진행형

현재진행형은 '~하고 있다'라는 뜻이며 〈be동사의 현재형(am, are, is) + -ing〉로 나타냅니다.

현재진행형의 용법은 다음과 같습니다.

① 현재 진행하고 있는 동작

She**'s** bak**ing** cookies. 그녀는 과자를 굽고 있습니다.

② 반복적 동작

always(항상) 등의 부사와 함께 쓰이면 비난의 감정을 나타낼 때가 많습니다.

They**'re** always complain**ing.** 그들은 항상 불평만 하고 있습니다.

③ 가까운 미래 · 예정

go(가다), come(오다), leave(출발하다) 등의 동사의 현재진행형은 '~하려고 하고 있다'라는 의미를 나타냅니다.

I**'m** leav**ing** for Paris tomorrow. 내일 파리로 떠납니다.

3. -ing형 만드는 법

-ing는 동사의 원형에 붙지만 동사의 어미에 의하여 다음 세 가지로 나눌 수 있습니다.

① 동사의 원형에 -ing

go → go**ing** walk → walk**ing**
play → play**ing** read → read**ing**

② 어미에 e가 있을 때 e를 빼고 -ing를 붙입니다.

write → writ**ing** skate → skat**ing**
make → mak**ing** come → com**ing**

③ 어미가 〈단모음 + 단자음〉으로 끝날 때 자음을 겹쳐 -ing를 붙입니다.

sit → sitt**ing** cut → cutt**ing**
swim → swimm**ing** run → runn**ing**

패턴으로 회화감각 익히기

Pattern 1 주어 + **am[are, is]** + 동사원형 **-ing.**

…은 ~하고 있습니다.

현재 진행하고 있는 동작을 나타냅니다. 〈be동사 + 동사원형 -ing〉의 형태로 '~하는 중이다'로 해석됩니다.

- I'**m** cook**ing** spaghetti. 나는 스파게티를 만들고 있습니다.
  아임 쿠킹 스파게티
- I'**m** look**ing** for souvenirs for my friends. 나는 친구들에게 줄 기념품을 찾고 있습니다.
  아임 룩킹 풔ㄹ 수비니어ㄹ즈 풔ㄹ 마이 프렌즈
- I'**m** call**ing** for my Mr. Kim, our personnel manager. 나는 인사부장 김 선생님 대신에 전화하고 있습니다.
  아임 콜링 풔ㄹ 마이 미스터ㄹ 킴 아우어ㄹ 퍼ㄹ스넬 매니저ㄹ
- You'**re** kidd**ing**! 농담하지 마세요!
  유아ㄹ 키딩
- Mr. Ford **is** expect**ing** you. 포드 씨가 당신을 기다리고 있습니다.
  미스터ㄹ 포ㄹ드 이즈 익스펙팅 유
- He'**s** danc**ing** with Joyce. 그는 조이스와 춤추고 있습니다.
  히즈 댄싱 위드 조이스
- She'**s** clean**ing** her room. 그녀는 자신의 방을 청소하고 있습니다.
  쉬즈 클리닝 허ㄹ 룸
- My sister **is** study**ing** education in college. 내 여동생은 대학에서 교육학을 공부하고 있습니다.
  마이 씨스터ㄹ 이즈 스터딩 에주케이션 인 칼리지
- We'**re** hav**ing** a good time. 우리는 즐거운 시간을 보내고 있습니다.
  위아ㄹ 해빙 어 굿 타임

Words ++

souvenir(s) [sù:vəníər] *n.* 기념품
kid(ding) [kid(diŋ)] *v.* 놀리다, 조롱하다
clean(ing) [kli:n(iŋ)] *v.* ~을 청소하다
for [fɔ:r] *prep.* ~의 대신으로
expect(ing) [ikspékt(iŋ)] *v.* ~을 기다리다
education [[èdʒukéiʃən] *n.* 교육학

Pattern 2 주어 + am[are, is] + not + 동사원형 -ing.

…은 ~하고 있지 않습니다.

현재진행형의 부정형은 be동사 뒤에 not을 붙입니다.

- I'**m not** ly**ing**. 나는 거짓말 하고 있지 않습니다.
  아임 낫 라잉
- I'**m not** flatter**ing** you. 나는 당신에게 아첨하고 있지 않습니다.
  아임 낫 플래터링 유
- You **aren't** listen**ing** to me. 당신은 제가 말하는 것을 듣고 있지 않습니다.
  유 안ㅌ 리스닝 투 미
- He **isn't** gett**ing** fat. 그는 살이 찌고 있지 않습니다.
  히 이즌ㅌ 게링 팻ㅌ
- He **isn't** mak**ing** fun of you. 그는 당신을 놀리고 있지 않습니다.
  히 이즌ㅌ 메이킹 펀 어브 유
- She **isn't** help**ing** me. 그녀는 저를 돕고 있지 않습니다.
  쉬 이즌ㅌ 헬핑 미
- She **isn't** work**ing** today. 그녀는 오늘 근무하지 않습니다.
  쉬 이즌ㅌ 워ㄹ킹 투데이
- It **isn't** rain**ing**. 비는 내리고 있지 않습니다.
  잇 이즌ㅌ 레이닝
- They **aren't** argu**ing** now. 그들은 지금 언쟁을 하고 있지 않습니다.
  데이 안ㅌ 아ㄹ규잉 나우

Words ++

make(ing) fun of ~ ~을 놀리다
flatter(ing) [flǽtər(iŋ)] *v.* 아첨하다
argue(ing) [á:rgju:(iŋ)] *v.* 언쟁하다

Pattern 3 Am[Are, is] + 주어 + 동사원형 -ing?

…은 ~하고 있습니까?

진행형의 의문문에 대해서는 〈Yes, 주어 + be동사.〉(예, 하고 있습니다.)나 〈No, 주어 + be동사 + not.〉(아니오, 하고 있지 않습니다.)이라고 대답하는 경우와 yes, no 뒤에 자신의 생각을 추가해서 대답할 수 있습니다.

- **Am** I bother**ing** you? 방해하고 있습니까?
  앰 아이 바더링 유

  No, not at all. 아니오, 전혀 아닙니다.
  노우 낫 앳 올

- **Are** you enjoy**ing** your vacation here? 여기에서의 휴가는 즐겁게 지내고 있습니까?
  아ㄹ 유 인조잉 유어ㄹ 베이케이션 히어ㄹ

  Yes, I'm enjoying it very much. 예, 아주 즐겁게 지내고 있습니다.
  예스 아임 인조잉 잇 베리 머치

- **Are** you do**ing** anything now? 지금 뭔가 하고 있습니까?
  아ㄹ 유 두잉 애니씽 나우

  No. Why? 아니오. 왜죠?
  노우 와이

- **Is** Tom fix**ing** the bicycle? 톰은 자전거를 수리하고 있습니까?
  이즈 탐 픽싱 더 바이시클

  Yes, he is. 예, 하고 있습니다.
  예스 히 이즈

- **Is** May prepar**ing** a meal? 메이는 식사를 준비하고 있습니까?
  이즈 메이 프리페어링 어 밀

  No, she isn't. 아니오, 하고 있지 않습니다.
  노우 쉬 이즌ㅌ

- **Is** the phone ring**ing**? 전화가 울리고 있습니까?
  이즈 더 포운 링잉

  Yes, it is. 예, 울리고 있습니다.
  예스 잇 이즈

Words ++

bother(ing) [báðəːr(iŋ)] *v.* (다른 사람에게) 귀찮게 굴다 **fix(ing)** [fiks(iŋ)] *v.* ~을 수리하다
at all 〈부정어를 동반해서〉 전혀

Pattern 4

What[Where, How] + be동사 + 주어 + 동사원형 -ing?

…은 무엇을[어디서, 어떻게] ~하고 있습니까?

의문사를 포함한 현재진행형의 경우 〈의문사 + be동사 + 주어 + 동사원형 -ing ~?〉의 형태로 나타냅니다.

- **What are** you do**ing** here? 당신은 여기에서 무엇을 하고 있습니까?
  왓 아ㄹ 유 두잉 히어ㄹ

  I'm waiting for Alice. 나는 앨리스를 기다리고 있습니다.
  아임 웨이링 풔ㄹ 앨리스

- **What is** he think**ing** about? 그는 무엇을 생각하고 있습니까?
  왓 이즈 히 씽킹 어바웃ㅌ

  He's thinking about his job. 그의 일을 생각하고 있습니다.
  히즈 씽킹 어바웃 히즈 잡

- **Where is** she go**ing**? 그녀는 어디에 갑니까?
  웨어ㄹ 이즈 쉬 고우잉

  She's going to the movies. 그녀는 영화 보러 갑니다.
  쉬즈 고우잉 투 더 무비즈

- **How are** you do**ing**? 건강하세요?
  하우 아ㄹ 유 두잉

  Okay. 건강해요.
  오우케이

Words ++

wait(ing) for ~ ~을 기다리다 **think(ing) about ~** ~에 관하여 생각하다
go(ing) to the movies 영화 보러 가다

Pattern 5

What[Who] + be동사 + 동사원형 -ing?

무엇이[누가] ~하고 있습니까?

- **What's** go**ing** on? 무슨 일 있습니까?
  왓츠 고우잉 온

  They're fighting. 그들은 싸우고 있습니다.
  데이아ㄹ 파이팅

- **Who's** speak**ing**, please? 누구십니까?〈전화에서〉
  후즈 스피킹 플리즈

  This is Sunhee Park. 박선희입니다.
  디스 이즈 선희 박

Words ++

go(ing) on (일이) 일어나다

Real Talk

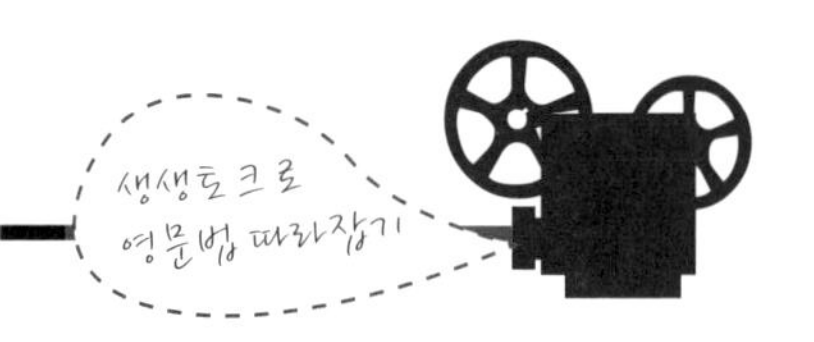

The Johnsons and Mira are at Yosemite National Park.
더 존슨스 앤 미라 아ㄹ 앳 요세미티 네셔널 파ㄹ크

Jr : Here we are.
히어ㄹ 위 아ㄹ

M : This is a very beautiful place.
디스 이즈 어 베리 뷰티플 플레이스

Js : The scenery is incredible.
더 씨너리 이즈 인크레더블

S : Look! Some people are climbing up that steep cliff.
룩 썸 피플 아ㄹ 클라이밍 업 댓 스팁 클리프

M : They're going up so fast.
데이아ㄹ 고우잉 업 쏘우 패스트

W : Unbelievable!
언빌리버블

Now they're on the top of the cliff.
나우 데이아ㄹ 온 더 탑 어브 더 클리프

S : Great! I want to climb up, too.
그레잇ㅌ 아이 원 투 클라임 업 투

Words ++

Yosemite National Park 요세미티 국립공원(캘리포니아 주의 시에라네바다 산맥에 있는 계곡을 중심으로 한 국립공원)

scenery [síːnəri] *n.* 경치

incredible [inkrédəbəl] *a.* 놀라운, 멋진

steep [stiːp] *a.* 가파른, 위험한

cliff [klif] *n.* 암벽

unbelievable [ʌ̀nbilíːvəbl] *a.* 믿을 수 없는

존슨 가족과 미라는 요세미티 국립공원에 있다.

Jr : 다 왔어요.

M : 매우 아름다운 곳이군요.

Js : 경치가 멋지네요.

S : 봐요! 가파른 암벽을 오르는 사람이 있어요.

M : 아주 빠르게 오르는군요.

W : 믿을 수 없어요!

이제 정상에 올랐어요.

S : 멋지군요! 나도 오르고 싶어요.

현재진행 시제로 습관 나타내기

현재진행 시제는 기본적으로 현재 진행 중인 동작을 나타내지만 '언제나 ~하다'라는 습관을 나타낼 때 사용되기도 합니다.

I am always losing keys. 나는 늘 열쇠를 잃어버립니다.

wanna

want to는 회화에서는 wanna라고도 합니다.

I wanna meet you soon. 나는 곧 당신을 만나고 싶어요.

Unit 21

주어 + be동사의 과거형 [was, were] ~.

…은 ~이었습니다.

1. be동사의 과거형

be동사의 과거형 '~이었다'는 was, were로 나타내며 be동사 중 am과 is의 과거는 was, are의 과거는 were로 표현합니다.

He **was** a teacher. 그는 선생님이었습니다.

We **were** teachers. 우리는 선생님이었습니다.

2. be동사 과거시제의 부정문과 의문문

be동사 과거시제의 부정문과 의문문은 주어에 따라 달라집니다.

She **was** *not* sick yesterday. 그녀는 어제 아프지 않았습니다.

They **were** *not* in the classroom. 그들은 교실에 있지 않았습니다.

Was she sick yesterday? 그녀는 어제 아팠나요?

Were they in the classroom? 그들은 교실에 있었나요?

3. There was[were] ~.

There was[were] ~.(~가 있습니다.)를 과거형으로 만들려면 is를 was로, are를 were로 바꿉니다. was나 were 뒤에 not을 붙이면 부정문이, was나 were를 there 앞에 내면 의문문이 됩니다.

There was an article about the housing problem in the paper.
신문에 주택문제에 관한 기사가 났었습니다.

There weren't any objections. 이의는 전혀 없습니다.

Were there many people at the party? 파티에 사람들이 많이 왔습니까?

패턴으로 회화감각 익히기

Pattern 1 주어 + was[were] ~.

…는 ~이었습니다.

과거의 동작이나 상태를 나타낼 때 동사의 과거형을 쓰며, 주어에 상관없이 형태가 같지만 be동사만 두 가지 형태(was, were)가 있습니다.

- I **was** in Australia three years ago. 나는 3년 전에 호주에 있었다.
  아이 워즈 인 오스트레일리아 쓰리 이어ㄹ즈 어고우
- I **was** terribly busy last Friday. 나는 지난 주 금요일에 아주 바빴습니다.
  아이 워즈 테러블리 비지 래스트 프라이데이
- You **were** absent from work yesterday. 당신은 어제 결근했군요.
  유 워ㄹ 앱슨트 프럼 워ㄹ크 예스터ㄹ데이
- He **was** the president of AAA Company. 그는 AAA 사의 사장이었다.
  히 워즈 더 프레지던트 어브 에이에이에이 컴퍼니
- She **was** in the hospital for two weeks. 그녀는 2주 동안 입원했었다.
  쉬 워즈 인 더 하스피털 풔ㄹ 투 윅스
- That **was** a very good dinner. 맛있는 저녁이었습니다.
  댓 워즈 어 베리 굿 디너ㄹ
- We **were** worried about her. 우리는 그녀의 일을 걱정했었다.
  위 워ㄹ 워리드 어바웃 허ㄹ
- You **were** very rude to him. 당신들은 그에게 너무 무례했습니다.
  유 워ㄹ 베리 루드 투 힘
- They **were** thirty minutes late. 그들은 30분 지각했다.
  데이 워ㄹ 써ㄹ티 미닛츠 레잇ㅌ

Words ++

Australia [ɔːstréiljə] *n.* 호주 **terribly** [[térəbli] *ad.* 매우 **hospital** [háspitl] *n.* 병원
rude [ruːd] *a.* 무례한 **absent from** ~에 결근한

Pattern 2 주어 + wasn't[weren't] ~.

…은 ~이지 않습니다.

be동사 과거시제의 부정문은 주어에 따라 달라지며 be동사 뒤에 not을 씁니다.

- I **wasn't** good at math. 나는 수학은 잘하지 못했었다.
  아이 워즌ㅌ 굿 앳 매스
- You **weren't** at the party. 당신은 파티에 없었다.
  유 원ㅌ 앳 더 파ㄹ티
- He **wasn't** sociable. 그는 사교적이지 않았다.
  히 워즌ㅌ 소우셜
- She **wasn't** confident. 그녀는 자신이 없었다.
  쉬 워즌ㅌ 컨피던트
- It **wasn't** my fault. 내탓이 아니었다.
  잇 워즌ㅌ 마이 펄트
- Your idea **wasn't** bad. 당신의 생각은 나쁘지 않았다.
  유어ㄹ 아이디어 워즌ㅌ 배드
- We **weren't** home yesterday. 우리는 어제 집에 있지 않았다.
  위 원ㅌ 호움 예스터ㄹ데이
- You **weren't** cooperative. 당신들은 협조적이지 않았다.
  유 원ㅌ 쿠퍼레이티브
- They **weren't** fair. 그들은 공평하지 않았다.
  데이 원ㅌ 페어ㄹ

Words ++

sociable [sóuʃəbl] *a.* 사교적인

confident [kánfidənt] *a.* 자신 있는

fault [fɔːlt] *n.* (과실의) 책임

cooperative [kouápərèitiv] *a.* 협력적인

fair [fɛər] *a.* 공평한

Pattern 3

Was[Were] + 주어 ~?

…은 ~이었습니까?

- Yes, 주어 + was[were]. 예, 그렇습니다.
- No, 주어 + wasn't[weren't]. 아니오, 그렇지 않았습니다.

be동사 과거시제의 의문문도 주어에 따라 달라지며 〈Was[Were] + 주어 ~?〉의 형태로 나타냅니다.

- **Were** you in the public relations department before? 당신은 전에 홍보부에 있었습니까?
  워ㄹ 유 인 더 퍼블릭 릴레이션스 디파ㄹ트먼트 비풔ㄹ

  Yes, I was. 예, 있었습니다.
  예스 아이 워즈

  No, I wasn't. 아니오, 있지 않았습니다.
  노우 아이 워즌ㅌ

- **Was** be in New York on business? 그는 뉴욕으로 출장 중이었습니까?
  워즈 비 인 뉴욕 온 비즈니스

  Yes, he was. 예, 그렇습니다.
  예스 히 워즈

  No, he wasn't. 아니오, 그렇지 않습니다.
  노우 히 워즌ㅌ

- **Was** your mother sick? 당신 어머니는 아프셨습니까?
  워즈 유어ㄹ 머더ㄹ 씩ㅋ

  Yes, she was. 예, 아프셨습니다.
  예스 쉬 워즈

  No, she wasn't. 아니오, 아프지 않으셨습니다.
  노우 쉬 워즌ㅌ

- **Was** that a joke? 그거 농담이었죠?
  워즈 댓 어 조크

  Yes, it was. 예, 농담이었어요.
  예스 잇 워즈

No, it wasn't. 아니오, 농담이 아니었어요.
노우 잇 워즌ㅌ

- **Were** they angry with me? 그들은 나에게 화가 났습니까?
워ㄹ 데이 앵그리 위드 미

Yes, they were. 예, 화가 났습니다.
예스 데이 워ㄹ

No, they weren't. 아니오, 화가 나지 않았습니다.
노우 데이 원ㅌ

Words ++

on business 업무로 **angry with ~** ~에 화난

Pattern 4 의문사 + was[were] + 주어 ~?

was[were] 의문문 앞에 what, when, where, how 등의 의문사를 두면 다양한 의문을 나타낼 수 있습니다.

- **What was** your major in college? 대학에서는 무엇을 전공했습니까?
왓 워즈 유어ㄹ 메이저ㄹ 인 컬리지

Economics. 경제학이었습니다.
이커너믹스

- **When was** he in Paris? 그는 언제 파리에 있었습니까?
웬 워즈 히 인 패리스

He was there in May. 그는 5월에 파리에 있었습니다.
히 워즈 데어ㄹ 인 메이

- **Where were** you around three o'clock yesterday? 당신은 어제 3시 경에 어디에 있었습니까?
웨어ㄹ 워ㄹ 유 어라운드 쓰리 어클락 예스터ㄹ데이

I was in a coffee shop. 나는 커피숍에 있었습니다.
아이 워즈 인 어 커피 샵

- **How was** your weekend?
  하우 워즈 유어ㄹ 위켄드
  주말은 어떻게 지냈습니까?

  It was terrific.
  잇 워즈 터리픽
  아주 잘 지냈습니다.

- **How was** his speech?
  하우 워즈 히즈 스피치
  그의 연설은 어땠습니까?

  It was boring.
  잇 워즈 보링
  지루했습니다.

- **How was** the musical?
  하우 워즈 더 뮤지컬
  뮤지컬은 어땠습니까?

  It was impressive.
  잇 워즈 임프레시브
  감동적이었습니다.

Words ++

major [méidʒər] *n.* 전공과목
economics [[ìːkənámiks] *n.* 경제학
boring [bɔ́ːriŋ] *a.* 지루한
impressive [imprésiv] *a.* 감동적인

Real Talk

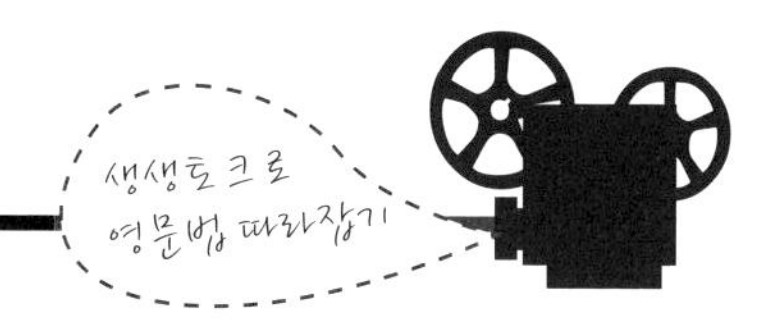

Mrs. Elliot, Mira's next-door neighbor, ask Mira about her trip to Yosemite.
미씨즈 엘리어트 미라즈 넥스트 도어ㄹ 네이버ㄹ 애스크 미라 어바웃 허ㄹ 트립 투 요세미티

Es : How was your trip to Yosemite?
하우 워즈 유어ㄹ 트립 투 요세미티

M : It was just great. I saw Bridal veil Falls there.
잇 워즈 저스트 그레잇ㅌ 아이 쏘우 브라이들 베일 풜즈 데어ㄹ

Es : How was it?
하우 워즈 잇

M : It was long and white like a bridal veil.
잇 워즈 롱 앤드 화이트 라이크 어 브라이들 베일

It was so romantic.
잇 워즈 쏘우 로맨틱

Yosemite is a nice place for a honeymoon.
요세미티 이즈 어 나이스 플레이스 풔러 허니문

Es : I agree.
아이 어그리

Words ++

falls [fɔːls] *n.* 〈복수형으로〉 폭포

veil [veil] *n.* 베일, 면사포

bridal [bráidl] *a.* 신부의

honeymoon [hʌ́nimùːn] *n.* 신혼여행

미라와 이웃 엘리엇 부인이 미라에게 요세미티 여행에 관해 묻고 있다.

(Es = Mrs. Elliot)

Es : 요세미티 여행은 어땠어요?

M : 정말 멋있었어요. 거기에서 면사포 폭포를 봤어요.

Es : 어땠어요?

M : 신부의 면사포 같이 길고 흰 폭포였어요. 아주 로맨틱했어요.

요세미티는 신혼여행에 좋은 곳이에요.

Es : 동감이에요.

Unit 22

주어 + was[were] + -ing.

…은 ~하고 있었습니다.

1. 과거진행형

과거진행형은 '~하고 있었다'라는 뜻으로 과거의 어느 시점에서 동작이 계속 유지되었을 때 쓰입니다. 형태는 〈be동사의 과거형(was, were) + 동사원형 + ing〉로 나타냅니다.

2. 과거진행형의 용법

①과거의 어느 시점에서 진행 중이었던 동작을 나타냅니다.

I **was** writ**ing** a letter all evening. 나는 저녁 내내 편지를 쓰고 있었습니다.

②과거의 반복적 동작을 나타냅니다.

He **was** always criticiz**ing** his colleagues.
그는 항상 동료들을 비판하고 있었습니다.

③과거의 어느 시점에서 본 가까운 미래 · 예정을 나타냅니다.

My cousin **was** com**ing** the next day.
사촌이 다음날 오기로 되어 있었습니다.

3. 과거형과 과거진행형

때로는 과거형과 과거진행형을 하나의 문장에 사용할 수 있습니다.

I **was** read**ing** a book when he **called** me.
그가 나한테 전화했을 때 나는 책을 읽고 있었습니다.

Jenny **hurt** her hand while she **was** mak**ing** dinner.
제니는 저녁식사를 준비하면서 손을 다쳤습니다.

4. 진행형으로 쓸 수 없는 동사

영어에는 진행형으로 쓸 수 없는 동사가 있습니다.

see 보다　　hear 듣다　　smell 냄새 맡다
taste 맛보다　　like 좋아하다　　love 사랑하다
want 원하다　　feel 느끼다 등

위와 같은 동사들은 계속적인 상태나 감각 또는 느낌을 나타내는 동사들로 진행형으로 쓸 수 없습니다.

단, have는 '가지다'라는 의미로는 진행형으로 쓸 수 없지만 '먹다'라는 의미로는 진행형이 될 수 있습니다.

I'**m** hav**ing** lunch now. 나는 지금 점심식사를 하고 있습니다.

Pattern 1 주어 + **was[were]** + 동사원형 **-ing.**

…은 ~하고 있었습니다.

과거진행형은 과거의 어떤 시점에서 동작이 계속 유지되었을 때 우리말의 '~하고 있는 중이었다.'는 의미로 사용합니다.

- I **was** tak**ing** a shower. 나는 샤워를 하고 있었습니다.
  아이 워즈 테이킹 어 샤우어ㄹ
- He **was** wast**ing** his time. 그는 시간을 허비하고 있었습니다.
  히 워즈 웨이스팅 히즈 타임
- She **was** do**ing** her shopping. 그녀는 쇼핑을 하고 있었습니다.
  쉬 워즈 두잉 허ㄹ 샤핑
- We **were** play**ing** computer games. 우리는 컴퓨터 게임을 하고 있었습니다.
  위 워ㄹ 플레잉 컴퓨러ㄹ 게임즈

Words ++

waste(ing) [weist(iŋ)] *v.* ~을 낭비하다 **do one's shopping** 쇼핑하다

Pattern 2 주어 + **wasn't[weren't]** + 동사원형 **-ing**

…은 ~하고 있지 않았습니다.

과거진행형의 부정문은 be동사 뒤에 not을 붙이면 됩니다.

- He **wasn't** driv**ing** carefully. 그는 주의해서 운전하고 있지 않았습니다.
  히 워즌ㅌ 드라이빙 케어ㄹ플리
- She **wasn't** wear**ing** a coat. 그녀는 코트를 입고 있지 않았습니다.
  쉬 워즌ㅌ 웨어링 어 코우트

- The alarm clock **wasn't** work**ing.** 알람시계가 울리고 있지 않았습니다.
  디 얼람 클락ㅋ 워즌ㅌ 워ㄹ킹

- They **weren't** drink**ing** in bar last night. 그들은 어젯밤 바에서 술을 마시고 있지 않았습니다.
  데이 원ㅌ 드링킹 인 바ㄹ 래스트 나이트

Words ++

alarm [əlɑ́ːrm] *n.* 알람시계

Pattern 3

Was[Were] + 주어 + 동사원형 -ing?

…은 ~하고 있었습니까?

이 의문문에 대해서는 yes, no 뒤에 주어와 was[were] / wasn't[weren't]로 대답할 수도 있고 자신의 생각을 추가해서 대답할 수도 있습니다.

- **Were** you watch**ing** TV yesterday evening? 당신은 어젯밤 텔레비전을 보고 있었습니까?
  워ㄹ 유 워칭 티비 예스터ㄹ데이 이브닝

  Yes, I was watching a news show. 예, 뉴스 프로를 보고 있었습니다.
  예스 아이 워즈 워칭 어 뉴스 쇼우

- **Was** he travel**ing** around the world by himself? 그는 혼자서 세계여행을 하고 있었습니까?
  워즈 히 트래블링 어라운드 더 월드 바이 힘셀프

  No, he was traveling with a friend. 아니오, 친구와 여행하고 있었습니다.
  노우 히 워즈 트래블링 위드 어 프렌ㄷ

Words ++

by oneself 혼자

Pattern 4

What[Why] + 주어 + 동사원형 -ing?

…은 무엇을[왜] ~하고 있었습니까?

의문사가 있는 과거진행형일 경우 〈의문사 + 주어 + 동사원형 -ing?〉의 형태로 나타냅니다.

- **What** were you do**ing** yesterday morning? 당신은 어제 아침 무엇을 하고 있었습니까?
  왓 워ㄹ 유 두잉 예스터ㄹ데이 모ㄹ닝

  I was doing the laundry. 나는 세탁을 하고 있었습니다.
  아이 워즈 두잉 더 런드리

Words ++

do(ing) the laundry 세탁하다

Real Talk

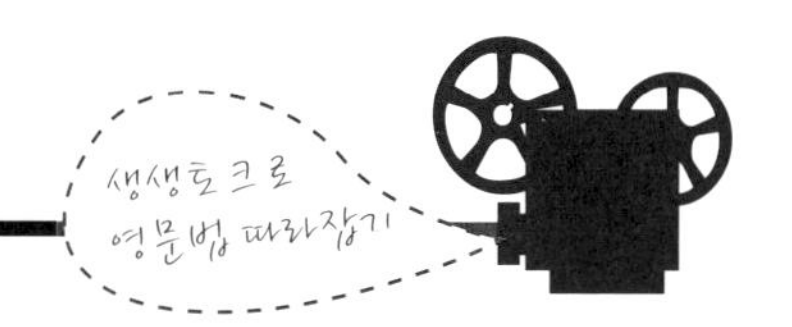

Mira and Mrs. Johnson are talking in the living room.
미라 앤 미씨즈 존슨 아ㄹ 토킹 인 더 리빙 룸

Js : You stayed up late last night.
유 스테이드 업 레잇 래스트 나잇ㅌ

What were you doing?
왓 워ㄹ 유 두잉

M : I was packing.
아이 워즈 패킹

Js : Why?
와이

M : Because I'm leaving in two days.
비커우즈 아임 리빙 인 투 데이즈

Js : Really? I completely forgot.
리얼리 아이 컴플리틀리 풔ㄹ갓ㅌ

I'm sorry you're going to go back so soon.
아임 쏘리 유아ㄹ 고우잉 투 고우 백 쏘우 순

M : Yes, I'm sorry I have to leave.
예스 아임 쏘리 아이 해브 투 리브

Words ++

stay up (자지 않고) 깨어 있다

pack(ing) [pæk(iŋ)] *v.* (짐을) 꾸리다

leave(ing) [li:v(iŋ)] *v.* 출발하다

completely [kəmplí:tli] *ad.* 완전히

forgot [fə:rgát] *v.* (forget의 과거형) 잊었다

미라와 존슨 부인은 거실에서 이야기하고 있다.

Js : 어제 밤늦게까지 자지 않았군요.
무얼 했어요?

M : 짐을 꾸렸어요.

Js : 왜요?

M : 이틀 후면 떠나야 해서요.

Js : 정말이에요? 완전히 잊고 있었어요.
그렇게 빨리 돌아가게 돼서 아쉽네요.

M : 예, 떠나야 해서 유감이에요.

재귀대명사의 관용적 표현

by oneself 혼자서
for oneself 혼자 힘으로
enjoy oneself 즐기다
of itself 저절로
in itself 본래
to oneself 자신에게만
beside oneself 제 정신이 아닌
between ourselves 우리끼리 이야기지만
overwork oneself 과로하다
say to oneself 혼잣말을 하다
help oneself to ~을 마음껏 먹다
pride oneself on ~을 자랑스러워하다
apply oneself to ~에 몰두하다, ~에 전념하다

Unit 23

주어 + 일반동사의 과거형 ~.

…은 ~했었습니다.

1. 일반동사의 과거형

일반동사의 과거형은 동사원형에 -(e)d를 붙여 과거형을 만드는 규칙동사와 불규칙한 형태로 과거형이 되는 불규칙동사가 있습니다.

1) 규칙동사

① 어미가 e로 끝나는 동사는 -d만 붙입니다.

agree → agre**ed** like → like**d**

② 어미가 〈자음 + y〉로 끝나는 동사는 y를 i로 바꾸고 -ed를 붙입니다.

try → tr**ied** study → stud**ied**

③ 어미가 〈모음 + y〉로 끝나는 동사는 -ed만 붙입니다.

play → play**ed** enjoy → enjoy**ed**

④ 어미가 〈단모음 + 단자음〉으로 끝나는 동사는 마지막 자음을 하나 더 쓰고 -ed를 붙입니다.

stop → stop**ped** plan → plan**ned**

2) 불규칙동사

불규칙동사의 수는 제한되어 있으므로 확실하게 암기해 둡시다.

have → had	eat → ate
know → knew	run → ran
come → came	write → wrote 등

* 혼동하기 쉬운 동사

lie	-	lied	-	lied	거짓말하다
lie	-	lay	-	lain	~에 놓여 있다, 눕다
lay	-	laid	-	laid	눕다, 눕히다

2. -(e)d의 발음

① 어미가 [t / d]일 때는 [id]로 발음됩니다.

paint**ed** [페인티드]   end**ed** [엔디드]

② 어미가 [p, k, b, s, ʃ, tʃ]일 때는 [t]로 발음됩니다.

help**ed** [헬프트]   work**ed** [워크트]

③ 이외의 어미인 경우는 [d]로 발음됩니다.

enjoy**ed** [인조이드]   call**ed** [콜드]

패턴으로 회화감각 익히기

Pattern 1 주어 + 일반동사의 과거형 ~.

…은 ~했습니다.

일반동사의 과거시제는 주어와 상관이 없으며 보통 동사 끝 어미에 -ed를 붙여 사용합니다. 일반동사의 과거형 만드는 법을 잘 익혀둡시다.

- I **had** a date last Wednesday. 나는 지난 주 수요일에 데이트했습니다.
  아이 해드 어 데이트 래스트 웬즈데이
- You **forgot** your umbrella. 당신은 우산을 잊었습니다.
  유 풔ㄹ갓ㅌ 유어ㄹ 엄브렐러
- He **graduated** from Stanford University. 그는 스탠포드 대학을 졸업했습니다.
  히 그레주에이티드 프럼 스탠포ㄹ드 유니버ㄹ스티
- My father **retired** last month. 내 아버지는 지난달에 퇴직했습니다.
  마이 파더ㄹ 리타이어ㄹ드 래스트 먼스
- She **married** Tony. 그녀는 토니와 결혼했습니다.
  쉬 매리드 토니
- The rain **stopped** 비가 그쳤습니다.
  더 레인 스탑트
- We **visited** Rome two years ago. 우리는 2년 전에 로마를 방문했습니다.
  위 비짓티드 롬 투 이어ㄹ즈 어고우
- You **did** a good job. 당신들은 잘 했습니다.
  유 디드 어 굿 잡
- George and Susan **had** a baby girl. 조지와 수잔이 딸을 낳았습니다.
  조ㄹ지 앤 수잔 해드 어 베이비 거ㄹ

Words ++

retire(d) [ritáiəːr(d)] *v.* 퇴직하다

graduate(d) from ~을 졸업하다

married [mǽrid] *a.* (**marry**의 과거형) ~와 결혼한

Pattern 2

주어 + didn't + 일반동사의 원형 ~.

…은 ~하지 않았습니다.

일반동사 과거시제의 부정문은 주어에 상관없이 똑같이 did not[didn’t]을 사용합니다.

- I **didn't** get enough sleep last night. 나는 어젯밤에 충분히 자지 못했습니다.
  아이 디든ㅌ 겟 이너프 슬립 래스트 나잇ㅌ
- Sorry, I **didn't** catch your name. 실례지만, 이름을 듣지 못했습니다.
  쏘리 아이 디든ㅌ 캐치 유어ㄹ 네임
- You **didn't** attend the meeting. 당신은 회의에 출석하지 않았어요.
  유 디든ㅌ 어텐드 더 미팅
- He **didn't** drink a lot of beer. 그는 많은 맥주를 마시지 않았습니다.
  히 디든ㅌ 드링크 어 랏 어브 비어ㄹ
- She **didn't** keep her promise. 그녀는 약속을 지키지 않았습니다.
  쉬 디든ㅌ 킵 허ㄹ 프라미스
- The plane **didn't** arrive on time. 비행기는 정시에 도착하지 않았습니다.
  더 플레인 디든ㅌ 어라이브 온 타임
- We **didn't** have an English lesson last Monday. 지난 주 월요일에 영어 수업이 없었습니다.
  위 디든ㅌ 해브 언 잉글리시 레슨 래스트 먼데이
- You **didn't** believe me. 당신들은 나를 믿지 않았습니다.
  유 디든ㅌ 빌리브 미
- They **didn't** get in touch with me. 그들은 나와 연락을 취하지 않았습니다.
  데이 디든ㅌ 겟 인 터치 위드 미

Words ++

catch [kætʃ] *v.* ~을 이해하다
believe [bilíːv] *v.* ~을 믿다
keep one's promise 약속을 지키다
on time 정각에
get in touch with ~와 연락을 취하다

Pattern 3 **Did** + 주어 + 일반동사의 원형 ~?

…은 ~했었습니까?

일반동사 과거시제의 의문문은 주어에 상관없이 did를 주어 앞에 사용합니다. 이 의문문에는 yes, no 뒤에 주어와 did, didn't를 붙여서 대답하거나 자신의 생각을 추가해서 대답할 수 있습니다.

- **Did** I hurt your feelings? 내가 당신 감정을 상하게 했습니까?
  디드 아이 허ㄹ트 유어ㄹ 필링즈

  No, don't worry about it. 아니오, 걱정 마세요.
  노우 돈ㅌ 워리 어바웃 잇

- **Did** you photocopy the report? 보고서를 복사했습니까?
  디쥬 포토카피 더 리포ㄹ트

  Yes, I made three copies. 예, 세 부 복사했습니다.
  예스 아이 메이드 쓰리 카피즈

- **Did** she leave the house? 그녀는 집을 출발했습니까?
  디드 쉬 리브 더 하우스

  Yes, she left ten minutes ago. 예, 10분 전에 떠났습니다.
  예스 쉬 레프트 텐 미닛츠 어고우

- **Did** your car break down? 차가 고장 났습니까?
  디드 유어ㄹ 카ㄹ 브레이크 다운

  Yes, it did. 예, 고장 났습니다.
  예스 잇 디드

- **Did** you go to a disco on Saturday? 당신들은 토요일에 디스코에 갔습니까?
  디쥬 고우 투 어 디스코 온 쌔러ㄹ데이

  Yes, we went to one in Gangnam. 예, 강남에 있는 디스코에 갔었습니다.
  예스 위 웬트 투 원 인 명동

- **Did** they discuss the new project? 그들은 새로운 계획을 토의했습니까?
  디드 데이 디스커스 더 뉴 프로젝트

  No, they didn't. 아니오, 하지 않았습니다.
  노우 데이 디든ㅌ

hurt [hə:rt] *v.* (감정)을 상하게 하다
feelings [fí:liŋ] *n.* 〈복수형으로〉 감정
photocopy [fóutoukàpi] *n.* (복사기로 하는) 복사; 복사하다
break down 고장 나다
discuss [diskʌ́s] *v.* ~에 관해 의논하다

Pattern 4

What[When, Where, How] + did + 주어 + 일반동사의 원형 ~?

…은 무엇을[언제, 어디서, 어떻게] ~했습니까?

의문사가 있는 일반동사 과거시제의 의문문은 〈의문사 + did + 주어 + 일반동사의 원형 ~?〉의 형태로 나타냅니다.

- Sorry, **what did** you say? 실례지만, 뭐라고 했습니까?
  쏘리 왓 디쥬 쎄이

  I said, 'Thank you for your hospitality.' '호의에 감사합니다.'라고 했습니다.
  아이 쎄드 땡큐 풔ㄹ 유얼 하스피탤리티

- **When did** Linda move to Texas? 린다는 언제 텍사스로 이사 갔습니까?
  웬 디드 린다 무브 투 텍사스

  She moved there five years ago. 그녀는 5년 전에 거기로 이사했습니다.
  쉬 무브드 데어ㄹ 파이브 이어ㄹ즈 어고우

- **Where did** you buy your purse? 지갑을 어디에서 샀습니까?
  웨어ㄹ 디쥬 바이 유어ㄹ 퍼ㄹ스

  I bought it in Italy. 이태리에서 샀습니다.
  아이 보우트 잇 인 이털리

- **How did** you cook this stew? 이 스튜는 어떻게 만들었습니까?
  하우 디쥬 쿡 디스 스튜

  I'll tell you the recipe. 조리법을 가르쳐 드릴게요.
  아일 텔 유 더 레서피

Words ++

hospitality [hὰspitǽləti] *n.* 환대
recipe [[résəpì] *n.* (요리의) 조리법
purse [pəːrs] *n.* 지갑

Pattern 5 What[Who] + 일반동사의 과거형 ~?

무엇이[누가] …했습니까?

의문사가 있는 일반동사의 과거형 의문문은 〈의문문 + 일반동사의 과거형 ~?〉의 형태로 나타냅니다.

- **What** happen**ed** to him? 그에게 무슨 일이 있었습니까?
  왓 해픈드 투 힘

  He was in a traffic accident. 그는 교통사고가 났습니다.
  히 워즈 인 어 트래픽 액시던트

- **Who did** the market research? 누가 시장조사를 했습니까?
  후 디드 더 마ㄹ킷 리서ㄹ치

  Alice did. 앨리스가 했습니다.
  앨리스 디드

Real Talk

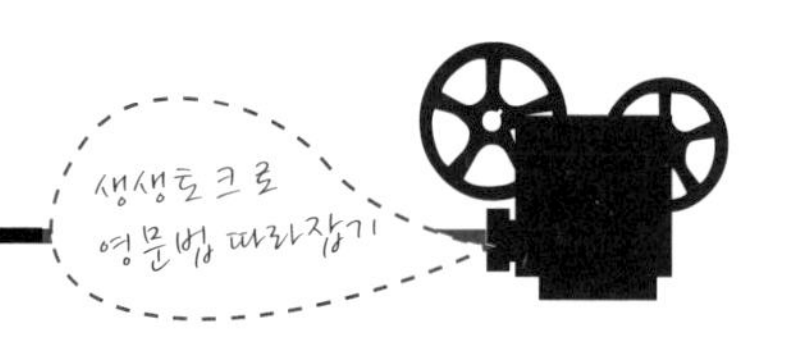

Mira leaves the United States for Korea.
미라 리브즈 디 유나이티드 스테이츠 풔ㄹ 코리아

M : I enjoyed staying with you very much.
아이 인조이드 스테잉 위드 유 베리 머치

I can't thank you enough.
아이 캔ㅌ 땡큐 이너프

Jr : It was our pleasure.
잇 워즈 아우어ㄹ 플레저ㄹ

Js : We enjoyed having you in our home.
위 인조이드 해빙 유 인 아우어ㄹ 호움

W : I'll give you a picture of Yosemite.
아일 기뷰 어 픽쳐ㄹ 어브 요세미티

I painted it just for you.
아이 페인티드 잇 저스트 풔ㄹ 유

M : Oh! How wonderful! I'll treasure it.
오 하우 원더ㄹ풀 아일 트레저ㄹ 잇

I'll write you a letter. Good-by!
아일 롸이트 유 어 레러ㄹ 굿 바이

S : Good-by, Mira.
굿 바이 미라

Words ++

enjoy(ed) -ing ~을 즐기다
stay(ing) with ~ ~의 집에 머무르다
pleasure [pléʒər] *n.* 즐거움
treasure [tréʒə:r] *v.* ~을 소중히 하다

미라는 한국에 가기 위해 미국을 떠난다.

M : 잘 쉬었다 갑니다.
어떻게 감사의 말을 하면 좋을지 모르겠어요.

Jr : 기뻤던 것은 우리들이에요.

Js : 당신을 맞이하게 되어서 기뻤어요.

W : 요세미티 그림을 드릴게요.
미라를 위해 그린 거예요.

M : 아! 아름답군요. 소중히 간직할게요.
편지할게요. 안녕히 계세요.

S : 잘 가세요, 미라.

every+단수명사 / all+복수명사

every와 all은 '모두'를 의미하지만 every 다음엔 단수명사, all 다음엔 복수명사가 옵니다. 그 차이를 쉽게 이해하려면 every는 all(모든)이라는 단어에 each(각각)을 의미하는 것이라고 생각하면 됩니다. 즉, 모든 사람 또는 물건의 하나하나 각각을 의미하기 때문에 결국 단수가 되는 것입니다. 그래서 '그 반 모든 학생이 시험에 합격했다.'라는 표현을 할 때 every students로 하면 틀리게 되고 Every student in the class passed the exam.으로 표현하면 됩니다.

Unit 24

be going to ~

~할 작정입니다

1. be going to

'~할 것이다, ~할 예정이다'의 뜻으로 가까운 미래를 나타냅니다. be동사는 주어의 인칭에 따라 변하며 to 다음에는 동사의 원형이 옵니다. 이때 going에는 '가다'의 뜻이 없습니다.

I **am going to** do my homework. 나는 숙제를 할 것입니다.

2. 미래형에 쓰이는 부사

미래형의 문장과 함께 잘 쓰이는 부사는 다음과 같습니다. '때'를 나타내는 부사이기 때문에 문장 끝에 오는 경우가 많습니다.

today 오늘
the day after tomorrow 모레
in the future 장래에
next week 내주
soon 곧
tomorrow 내일
tonight 오늘밤
in the near future 가까운 미래에
next year 내년
in a few minutes 2~3분 지나서

I'm going to play tennis tomorrow.
나는 내일 테니스를 칠 것입니다.

3. going to의 격의 없는 어법인 gonna

〈be going to + 동사원형〉의 going to는 축약되면 gonna [góunə]가 됩니다. 예를 들면 I'm going to watch TV.는 I'm gonna watch TV.라고 축약되어 [아임 고너 워치 티브이]로 발음됩니다. 하나 더 예를 들어 봅시다. It's going to be cold.는 It's gonna be cold.가 되어 [잇츠 고너 비 코울드]로 발음됩니다.

대부분의 사람들이 이 going to를 gonna [góunə]로 발음하고 있습니다. 회화에서는 gonna가 자주 쓰이므로 익숙해지도록 노력해 봅시다.

패턴으로 회화감각 익히기

Pattern 1

am[are, is] going to + 동사원형 ~.

~할 작정입니다.

가까운 미래를 나타내는 경우에 사용되는 표현으로 '~할 작정이다, ~할 예정이다, ~할 것이다, ~할 것 같다' 등으로 해석할 수 있습니다.

- I'**m going to** study English conversation.
  아임 고우잉 투 스터디 잉글리시 컨버ㄹ세이션
  나는 영어회화를 공부할 예정입니다.
- You'**re going to** go to the supermarket.
  유아ㄹ 고우잉 투 고우 투 더 수퍼ㄹ마ㄹ킷ㅌ
  당신은 슈퍼마켓에 갈 거군요.
- He'**s going to** be a lawyer.
  히즈 고우잉 투 비 어 로이어ㄹ
  그는 변호사가 될 작정입니다.
- She'**s going to** take this Friday off.
  쉬즈 고우잉 투 테이크 디스 프라이데이 오프
  그녀는 이번 금요일에 하루 쉴 예정입니다.
- It'**s going to** snow.
  잇츠 고우잉 투 스노우
  눈이 내릴 것 같군요.
- We'**re going to** have a farewell party for Sally.
  위아ㄹ 고우잉 투 해브 어 페어ㄹ웰 파ㄹ티 풔ㄹ 샐리
  우리는 샐리를 위해 환송회를 열 예정입니다.
- You'**re going to** graduate next year.
  유아ㄹ 고우잉 투 그레주에잇 넥스트 이어ㄹ
  당신들은 다음 해에 졸업할 예정입니다.
- They'**re going to** finish the work in a week.
  데이아ㄹ 고우잉 투 피니시 더 워ㄹ크 인 어 위크
  그들은 1주일 안에 그 일을 마칠 예정입니다.

Words ++

farewell [fɛ̀ərwél] *a.* 작별의 **take ~ off** (어떤 기간의) 휴가를 얻다

Pattern 2

am[are, is] not going to + 동사원형 ~

…할 ~작정은 없습니다.

〈am[are, is] going to + 동사원형 ~〉의 부정형은 am[are, is] 뒤에 not을 넣습니다. 이 부정문은 '~할 작정은 없다, ~하지 않을 것이다, ~할 것 같지 않다' 등의 뜻을 나타냅니다.

- **I'm not going to** change my mind. 내 생각을 바꾸지 않을 작정입니다.
  아임 낫 고우잉 투 체인지 마이 마인드
- **I'm not going to** take a trip this fall. 나는 올 가을에 여행할 계획이 없습니다.
  아임 낫 고우잉 투 테이크 어 트립 디스 풜
- You **aren't going to** be in Seoul next week. 당신은 다음 주에 서울에 있지 않겠군요.
  유 안ㅌ 고우잉 투 비 인 서울 넥스트 위크
- He **isn't going to** the barber's today. 그는 오늘 이발소에 가지 않을 예정입니다.
  히 이즌ㅌ 고우잉 투 더 바ㄹ버ㄹ즈 투데이
- She **isn't going to** quit her job. 그녀는 사직할 생각은 없습니다.
  쉬 이즌ㅌ 고우잉 투 큇 허ㄹ 잡
- It **isn't going to** rain this afternoon. 오늘 오후는 비가 내릴 것 같지 않습니다.
  잇 이즌ㅌ 고우잉 투 레인 디스 애프터ㄹ눈
- We **aren't going to** buy a new house. 우리는 새 집을 살 생각이 없습니다.
  위 안ㅌ 고우잉 투 바이 어 뉴 하우스
- They **aren't going to** wait for him any longer. 그들은 더 이상 그를 기다리지 않을 겁니다.
  데이 안ㅌ 고우잉 투 웨잇 풔ㄹ 힘 애니 롱거ㄹ

Words ++

quit [kwit] *v.* ~을 그만두다

go to the barber's 이발하러 가다

not ~ any longer 더 이상 ~않다

Pattern 3

Am[Are, Is] + 주어 + going to + 동사원형 ~?

…은 ~할 작정입니까?

의문문은 '…은 ~할 것입니까?' 등의 의미를 나타냅니다. 이 질문에 대해서는 〈Yes, 주어 + be동사.〉 또는 〈No, 주어 + be동사 + not.〉으로 대답하거나 자신의 의견을 추가해서 대답할 수 있습니다.

- **Are** you **going to** work late tonight? 오늘 밤 늦게까지 일할 거예요?
  아ㄹ 유 고우잉 투 워ㄹ크 레잇 투나잇ㅌ

  Yes, I am. 예, 할 겁니다.
  예스 아이 앰

- **Is** he **going to** take the 6:00 train? 그는 6시에 열차를 탈 예정입니까?
  이즈 히 고우잉 투 테이크 더 씩스 트레인

  Yes, he is. 예, 그렇습니다.
  예스 히 이즈

- **Is** she **going to** get home early tomorrow? 그녀는 내일 일찍 집에 돌아옵니까?
  이즈 쉬 고우잉 겟 호움 어ㄹ리 투마로우

  I don't know. 모르겠습니다.
  아이 돈ㅌ 노우

- **Is** she **going to** make more sandwiches? 그녀는 샌드위치를 더 만들 예정입니까?
  이즈 쉬 고우잉 투 메이크 모어ㄹ 샌드위치스

  No, she isn't. 아니오, 만들지 않을 겁니다.
  노우 쉬 이즌ㅌ

- **Is** it **going to** be nice on Sunday? 일요일은 날씨가 좋을 것 같습니까?
  이즈 잇 고우잉 투 비 나이스 온 썬데이

  I hope so. 그러면 좋겠네요.
  아이 홉 쏘우

- **Are** they **going to** join our company? 그들은 우리 회사에 입사할 예정입니까?
  아ㄹ 데이 고우잉 투 조인 아우어ㄹ 컴퍼니

  Yes, they are. 네, 그렇습니다.
  예스 데이 아ㄹ

Words ++

join a company 입사하다

Pattern 4

의문사 + am[are, is] + going to + 동사원형 ~?

…은 무엇을[언제, 얼마나] ~할 작정입니까?

의문사가 있을 때에는 〈의문사 + be동사 + 주어 + going to + 동사원형 ~?〉으로 나타냅니다.

- **What are** you **going to** do this afternoon? 당신은 오늘 오후에 무엇을 할 예정입니까?
  왓 아ㄹ 유 고우잉 투 두 디스 애프터ㄹ눈

  I'm going to play tennis. 나는 테니스를 칠 예정입니다.
  아임 고우잉 투 플레이 테니스

- **When is** he **going to** come to Korea? 그는 언제 한국에 올 예정입니까?
  웬 이즈 히 고우잉 투 컴 투 코리아

  In December. 12월 중입니다.
  인 디셈버ㄹ

- **How long are** you **going to** stay here? 당신은 여기에 얼마나 머무실 예정입니까?
  하우 롱 아ㄹ 유 고우잉 투 스테이 히어ㄹ

  About a year. 1년 정도입니다.
  어바웃 어 이어ㄹ

Pattern 5

Who is going to + 동사원형 ~?

누가 ~할 예정입니까?

사람을 물을 때에는 who를 이용하여 〈Who is going to + 동사원형 ~?〉으로 표현합니다.

- Who is going to wash the dished today? 오늘은 누가 설거지를 할 겁니까?
  후 이즈 고우잉 투 워쉬 더 디쉬드 투데이

  I am. 접니다.
  아이 앰

- Who is going to go to London on business? 누가 런던에 출장갑니까?
  후 이즈 고우잉 투 고우 투 런던 온 비즈니스

  Mr. Choi is. 최 선생님입니다.
  미스터ㄹ 최 이즈

Words ++

dish(**es**) [diʃ(iz)] *n.* 그릇

Real Talk

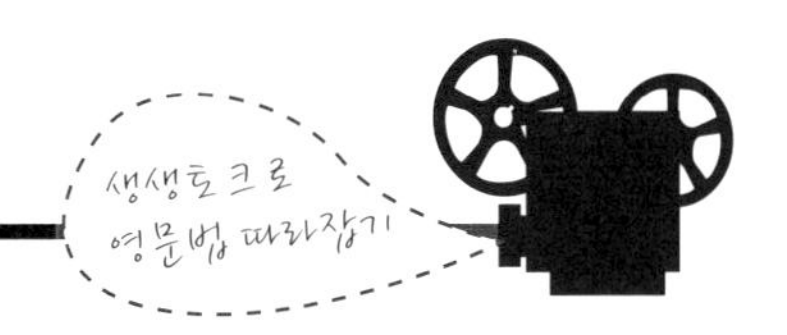

Mira talks to Kate on the plane for Korea.
미라 톡스 투 케이트 온 더 플레인 풔ㄹ 코리아

M : Hello!
헬로우

K : Hi!
하이

Did you stay in the United States?
디쥬 스테이 인 디 유나이티드 스테이츠

M : Yes, I stayed in San Francisco.
예스 아이 스테이드 인 샌프런시스코우

I really enjoyed myself.
아이 리얼리 인조이드 마이셀프

What are you going to do in Korea?
왓 아ㄹ 유 고우잉 투 두 인 코리아

K : I'm going to visit a friend of mine.
아임 고우잉 투 비짓 어 프렌드 어브 마인

M : I hope you have a nice time.
아이 홉 유 해브 어 나이스 타임

K : Thanks a lot.
땡스 어 랏

Words ++

hope [houp] *v.* ~을 바라다　　**enjoy(ed) oneself** 즐기다

미라는 한국으로 향하는 비행기 안에서 케이트에게 말을 건다.

(K = Kate)

M : 안녕하세요.

K : 안녕하세요.

미국에 계셨어요?

M : 예, 샌프란시스코에 있었어요.

정말 재미있었어요.

한국에서는 무엇을 할 예정이에요?

K : 친구를 방문할 예정이에요.

M : 좋은 시간 보내길 바라요.

K : 고마워요.

a few와 few, a little과 little

a few와 few, a little과 little의 사용법에 혼동하지 않도록 주의합시다. a few는 셀 수 있는 명사에 대해 사용하고, a little은 셀 수 없는 명사에 대해 사용합니다. 또 같은 양이라고 해도 부정적인 생각의 표현으로 '별로 없다', 또는 '거의 없다' 라는 표현을 할 때는 few와 little을 사용합니다. '나는 지금 돈이 거의 없다.' 라는 표현을 하려면 I have little money now.로 하면 됩니다.

Part 02

영문법 패턴 완성하기

Unit 25

will ~할 것이다

1. will의 뜻

will은 '~할 것이다' 또는 '아마 ~일 것이다'라는 뜻으로 많이 쓰이며 will 다음에는 동사원형이 옵니다.

Henry **will** go there. 헨리는 거기에 갈 거예요.
It'**ll** rain this weekend. 이번 주말에 비가 올 거예요.

'~ 안 할 거야'라는 뜻의 부정문을 만들려면 will 다음에 not을 붙입니다.

I **will** not go home. 나는 집에 안 갈 거예요.
She **won't** watch TV. 그녀는 텔레비전을 안 볼 거예요.

'~ 할 거니?'라고 물을 때는 will을 문장 앞에 두고 끝에 물음표를 붙입니다.

Will you go shopping tomorrow? 내일 쇼핑 갈래요?
Will you go to school? 학교 갈래요?

2. be going to와 will

be going to와 will은 모두 미래의 동작 또는 상태를 나타내는데 be going to에는 말하는 사람의 감정이나 의지가 포함되어 있는 경우가 많습니다.

예를 들면 I need a coat. I'm going to get it.(나는 코트가 필요합니다. 코트를

살 예정이에요.) 라는 문장 중 I'm going to get it.에는 '필요하다'라는 감정이 들어 있습니다.

한편, 상점에서 I've decided to buy the coat.(코트를 사기로 했습니다.)라고 결정한 뒤에 I'll take it.(그것을 주세요.)이라고 하는 경우는 사려고 하는 사실을 표현하는 것이므로 will이 사용됩니다.

패턴으로 회화감각 익히기

Pattern 1 주어 + will + 동사원형 ~.

~하겠습니다, ~할 것입니다.

be going to와 같이 will도 미래의 일을 나타내는데 쓰입니다. will은 미래의 의지, 의도, 현재의 고집, 습성 등을 나타내는 조동사로 '~하겠다, ~일 것이다'의 뜻으로 사용합니다.

- **I'll** send the papers by facsimile. 서류를 팩스로 보내겠습니다.
  아일 센드 더 페이퍼ㄹ즈 바이 팩시멀리
- **I'll** put you through to Mr. Young. 전화를 영에게 연결하겠습니다.
  아일 풋 유 쓰루 투 미스터ㄹ 영
- You**'ll** be late for school. 학교에 늦겠어요.
  유일 비 레잇 풔ㄹ 스쿨
- He**'ll** pick you up at the station. 그가 역에서 차로 데려다 줄 겁니다.
  히일 픽 유 업 앳 더 스테이션
- She**'ll** arrive at the airport at two. 그녀는 2시에 공항에 도착할 겁니다.
  쉬일 어라이브 앳 디 에어ㄹ포ㄹ트 앳 투
- It'll be hot tomorrow. 내일은 더울 겁니다.
  잇일 비 핫 투마로우
- We**'ll** get off the bus at the next stop. 우리는 다음 정류장에서 내릴 겁니다.
  위일 겟 오프 더 버스 앳 더 넥스ㅌ 스탑
- They**'ll** like Santa Monica. 그들은 산타 모니카를 좋아할 겁니다.
  데이일 라이크 샌터 마니커

Words ++

facsimile [fæksíməli] *n.* 팩시밀리, 팩스

put through (전화를) 연결하다

pick up ~를 차로 마중가다

Santa Monica [ ] *n.* 산타모니카(캘리포니아 주에 있는 도시로 휴양지)

I'll = I will / You'll = You will / He'll = He will / She'll = She will / It'll = It will / We'll = We will / They'll = They will

Pattern 2 주어 + won't + 동사원형 ~.

~하지 않겠습니다, ~하지 않을 겁니다.

won't는 will not의 단축형으로 회화에서 자주 쓰이며, won't는 [wount]로 발음합니다.

- I **won't** be in the office this afternoon. 나는 오늘 오후에 사무실에 없을 겁니다.
  아이 원ㅌ 비 인 디 오피스 디스 애프터ㄹ눈
- He certainly **won't** make the same mistake. 그는 틀림없이 같은 실수는 하지 않을 겁니다.
  히 서ㄹ튼리 원ㅌ 메이크 더 세임 미스테이크
- I **won't** be long. 오래 걸리지 않을 겁니다.
  아이 원ㅌ 비 롱

Pattern 3 Will + 주어 + 동사원형 ~?

…은 ~할 것입니까?, …은 ~할까요?

will의 의문문은 〈Will + 주어 + 동사원형 ~?〉의 형태로 표현하며 이 의문문에서는 〈Yes, 주어 + will.〉이나 〈No, 주어 + won't.〉 등으로 대답합니다.

- **Will** you see him tomorrow? 당신은 내일 그와 만날 겁니까?
  윌 유 씨 힘 투마로우

  No, I won't. 아니오, 만나지 않을 겁니다.
  노우 아이 원ㅌ

- **Will** he be busy tomorrow? 그는 내일 바쁠까요?
  윌 히 비 비지 투마로우

  Yes, he will. 예, 바쁠 겁니다.
  예스 히 윌

- **Will** she try again? 그녀는 다시 시도할까요?
  윌 쉬 트라이 어겐

  Yes, she will. 예, 그럴 겁니다.
  예스 쉬 윌

Pattern 4

의문사 + will + 주어 + 동사원형 ~?

…은 언제[무엇을 / 얼마나] ~할 겁니까?

의문사가 있을 때는 〈의문사 + will + 주어 + 동사원형 ~?〉으로 표현하면 됩니다.

- What **will** you have for lunch? 점심으로 무엇을 먹을 겁니까?
  왓 윌 유 해브 풔ㄹ 런치

  I'll have a sandwich. 샌드위치를 먹을 겁니다.
  아일 해브 어 샌드위치

- When **will** he be free? 그는 언제 한가해 집니까?
  웬 윌 히 비 프리

  He'll be free soon. 곧 한가해 질 겁니다.
  히일 비 프리 순

- What time **will** she be back? 그녀는 몇 시에 돌아올 겁니까?
  왓 타임 윌 쉬 비 백

  She'll be back at two. 2시에 돌아올 겁니다.
  쉬일 비 백 앳 투

- How long **will** it take by taxi? 택시로 시간이 얼마나 걸릴 겁니까?
  하우 롱 윌 잇 테이크 바이 택시

  About half an hour. 30분 정도입니다.
  어바웃 해프 언 아우어ㄹ

Pattern 5 **Who will + 동사원형 ~?**

누가 …에 ~할 겁니까?

- **Who will** be at the party? 누가 파티에 올 겁니까?
  후 윌 비 앳 더 파ㄹ티

  Joe and Ally will. 조와 앨리가 올 겁니다.
  조 앤 앨리 윌

- **Who will** drive me to the bus terminal? 누가 나를 버스터미널까지 차로 데려다 줄 겁니까?
  후 윌 드라이브 미 투 더 버스 터ㄹ미널

- Paul will. 폴입니다.
  폴 윌

Words ++

drive [draiv] *v.* ~를 차로 전송하다

Pattern 6 **Will you + 동사원형 ~?**

~해 주시겠어요?

〈Will you + 동사원형 ~?〉은 미래에 관한 일을 물을 뿐만 아니라 상대방에게 '~해 주시겠어요?'라고 부탁할 경우에 쓸 수 있습니다. please를 붙여서 Will you please ~?로 하면 정중하게 부탁하는 표현이 됩니다. 들어주는 경우에는 Okay.나 All right. 또는 Sure.나 Certainly. 등으로 대답할 수 있고 거절하는 경우에는 이유를 설명하는 것이 좋습니다.

- **Will you** help me? 도와주시겠어요?
  윌 유 헬프 미

  I'm sorry, but I'm busy now. 미안하지만, 지금 바쁩니다.
  아임 쏘리 벗 아임 비지 나우

- **Will you** take a picture of us? 우리 사진을 찍어 주시겠어요?
  월 유 테이크 어 픽쳐ㄹ 어브 어스

  Okay. 좋아요.
  오우케이

- **Will you** do me a favor? 부탁 하나 들어 주시겠어요?
  윌 유 두 미 어 페이버ㄹ

  Sure. What is it? 좋아요. 뭐지요?
  슈어ㄹ 왓 이즈 잇

- **Will you** please speak slowly? 천천히 말씀해 주시겠어요?
  윌 유 플리즈 스피크 슬로우리

  Certainly. 그러지요.
  서ㄹ튼리

Words ++

favor [féivər] *n.* 부탁 **certainly** [sə́ːrtnli] *ad.* 좋아요

Real Talk

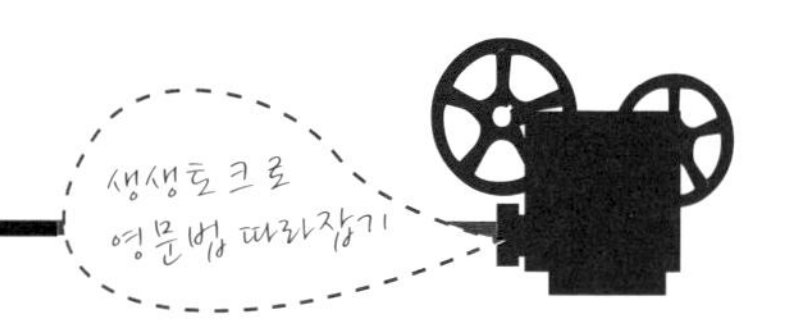

Mira returned to Korea, and she is working at a computer company.
미라 리턴드 투 코리아 앤드 쉬 이즈 워ㄹ킹 앳 어 컴퓨러ㄹ 컴퍼니

M : Good morning.
굿 모ㄹ닝

May I help you?
메이 아이 헬프 유

Br : Yes, I'm Mark Brown from Bell Electronics.
예스 아임 마ㄹ크 브라운 프럼 벨 일렉트라닉스

I have an appointment with Mr. Newman at three.
아이 해브 언 어포인트먼ㅌ 위드 미스터ㄹ 뉴먼 앳 쓰리

M : I'm sorry, but he's still in a meeting.
아임 쏘리 벗 히즈 스틸 인 어 미팅

Will you please wait over there?
윌 유 플리즈 웨잇 오우버ㄹ 데어ㄹ

Di : Sure.
슈어ㄹ

M : Mr. Newman will be with you in about ten minutes.
미스터ㄹ 뉴먼 윌 비 위드 유 인 어바웃 텐 미닛츠

Words ++

over there 거기에서

미라는 한국에 돌아와서 컴퓨터 회사에서 일하고 있다.

(Br = Mr. Brown)

M : 안녕하세요?
무엇을 도와드릴까요?

Br : 예, 벨 일렉트로닉스의 마크 브라운입니다.
뉴먼 씨와 3시에 만날 약속을 했습니다.

M : 실례지만 지금 회의 중입니다.
저기에서 기다려 주시겠습니까?

Br : 그러지요.

M : 뉴먼 씨는 10분 후에 오실 겁니다.

I'm sorry.와 Excuse me.

상대방에게 '미안합니다.'라고 사과할 때에는 I'm sorry.라고 하지만 I'm sorry.가 항상 사과할 때만 쓰이는 것은 아닙니다. 좋지 않은 소식을 듣고 '안됐군요.'라고 하거나 '유감이지만 ~'이라고 할 때에도 I'm sorry.라고 합니다. 참고로 확실하게 사과의 뜻을 전하고자 할 때에는 I apologize to you.라고 합니다.

지나가는 사람에게 길을 물을 때에는 Excuse me.라고 시작합니다. 잠깐 자리를 비워야 할 때에도 Excuse me.라 합니다.

상대방이 말한 것을 잘 알아듣지 못했을 때에는 Pardon?이라고 합니다. 이때 끝을 올려서 말해야 한다는 것에 주의합시다. Excuse me?나 Sorry?도 끝을 올려서 읽으면 다시 한 번 말해달라는 뜻이 됩니다.

Unit 26

Shall I ~? ~할까요?

1. shall

shall은 will과 같이 '~할 것이다'라는 뜻으로 동사 앞에 놓여 미래를 나타내는 조동사입니다.

I **shall** go later. 나중에 갈게요.
I **shall** visit you. 당신을 방문할 거예요.

미래형으로 보통 shall 보다는 will을 더 많이 쓰기 때문에 미래형 조동사는 will로 알아두면 됩니다. shall은 상대의 허락을 구할 때 쓰입니다.

Shall I go there now? 제가 지금 거기에 가도 될까요?

2. 상대방에게 권유하는 표현

Shall we ~?는 '함께 ~할까요?'라고 상대방에게 권유하는 표현입니다.
'저녁을 먹으러 외출합시다.'라고 권유하려면 다음과 같이 합니다.

Shall we go out for dinner?
Let's go out for dinner.
How about going out for dinner?
Why don't we go out for dinner?

이러한 권유를 받았을 때에는 Okay, let's.(좋아요, 그럽시다.) 또는 No, let's not.(아니오, 그러지 맙시다.)이라고 대답할 수 있습니다.

패턴으로 회화감각 익히기

Pattern 1 Shall I + 동사원형 ~?

(제가) ~할까요?

미래를 나타내는 조동사에는 will 외에 shall도 있습니다. Shall I ~?는 상대방의 의사를 묻는 표현으로 '제가 ~할까요?'의 의미를 지니며 Shall you ~? 구문은 없습니다.

- **Shall I** take a message? 전언이 있습니까?
  쉘 아이 테이크 어 메시지

  Yes, please. 예, 부탁합니다.
  예스 플리즈

- **Shall I** have him call you back? 그에게 다시 전화하라고 할까요?
  쉘 아이 해브 힘 콜 유 백ㅋ

  No, thank you. 아니오, 됐습니다.
  노우 땡큐

Words ++

call back 다시 전화를 걸다

Pattern 2 Shall we + 동사원형 ~?

(함께) ~할까요?

상대방에게 제안하거나 권유하는 표현입니다.

- **Shall we** begin the meeting? 회의를 시작할까요?
  쉘 위 비긴 더 미팅

  Yes, let's. 예, 합시다.
  예스 렛츠

- **Shall we** meet at the coffee shop at three?
  쉘 위 밋 앳 더 커피 샵 앳 쓰리
  3시에 커피숍에서 만날까요?

  All right.
  올 롸이트
  좋아요.

- **Shall we** dance?
  쉘 위 댄스
  춤출까요?

  No, let's not.
  노우 렛츠 낫
  아니오, 하지 맙시다.

  I have to go home now.
  아이 해브 투 고우 호움 나우
  이제 집에 가야해요.

Pattern 3 What[What time, When, Where] + shall I[we] + 동사원형 ~?

무엇을[몇 시에, 언제, 어디에서] ~할까요?

의문사가 있는 경우 〈의문사 + shall + 주어[I / we] + 동사원형 ~?〉의 형태로 나타냅니다.

- **What shall I** make?
  왓 쉘 아이 메이크
  무얼 만들까요?

  A hot dog sounds good.
  어 핫 도그 사운즈 굿
  핫도그가 좋겠는데요.

- **What shall I** give him for his birthday?
  왓 쉘 아이 기브 힘 풔ㄹ 히즈 버ㄹ스데이
  그의 생일에 무얼 줄까요?

  How about a tie?
  하우 어바웃 어 타이
  넥타이 어때요?

- **What** time **shall I** pick you up tomorrow morning?
  왓 타임 쉘 아이 픽 유 업 투마로우 모ㄹ닝
  내일 아침 몇 시에 차로 데리러 갈까요?

Anytime is okay.
애니타임 이즈 오우케이

언제라도 좋아요.

- **When shall we** get together?
웬 쉘 위 겟 투게더ㄹ

언제 모일까요?

How about next Tuesday?
하우 어바웃 넥스트 튜즈데이

다음 주 화요일이 어떻습니까?

- **Where shall we** go?
웨어ㄹ 쉘 위 고우

어디에 갈까요?

Let's go to the movies.
렛츠 고우 투 더 무비즈

영화 보러 갑시다.

- **Where shall we** sit?
웨어ㄹ 쉘 위 씻

어디에 앉을까요?

Let's sit over there.
렛츠 씻 오우버ㄹ 데어ㄹ

저기에 앉읍시다.

Words ++

get together 모이다

Real Talk

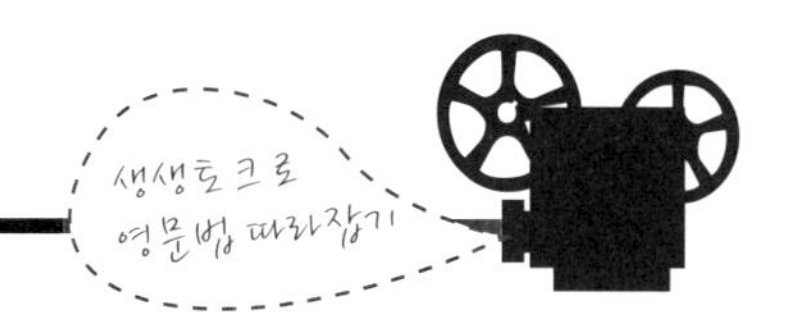

Mira and her colleagues are going to take a break.
미라 앤 허ㄹ 컬리그즈 아ㄹ 고우잉 투 테이크 어 브레이크

F : Shall we take a break?
쉘 위 테이크 어 브레이크

R : Yes, let's.
예스 렛츠

M : Shall I make coffee?
쉘 아이 메이크 커피

F : That would be fine.
댓 우드 비 파인

M : How do you like it?
하우 두 유 라이크 잇

R : Black, please.
블랙 플리즈

M : How about you, Fred?
하우 어바우 유 프레ㄷ

F : With cream and sugar, please.
위드 크림 앤드 슈거ㄹ 플리즈

Words ++

make coffee 커피를 타다

미라와 미라의 동료는 잠깐 쉬려고 한다.

(F = Fred / R = Roger)

F : 잠깐 쉴까요?

R : 그럽시다.

M : 커피를 탈까요?

F : 좋아요.

M : 커피를 어떻게 타 드릴까요?

R : 블랙으로 부탁합니다.

M : 프레드, 당신은요?

F : 크림과 설탕을 넣어주세요.

home, here, there 앞에 to가 붙지 않는 이유

I go to school. 에는 to를 넣었지만 go home, come home, come here, go there에는 to가 없습니다. 왜냐하면 home, here, there는 부사로서 '~에[로]'라는 to의 의미를 이미 내포하고 있기 때문입니다.

Unit 27

can ~ ~할 수 있다

1. can

can은 가능 · 허락의 의미를 나타내는 조동사입니다.

① **능력 · 가능을 나타내는 경우 : ~할 수 있다**

He **can** play the guitar. 그는 기타를 칠 수 있습니다.

② **허가 · 허락을 나타내는 경우 : ~해도 좋다**

Can I use this computer? 컴퓨터를 사용해도 될까요?

③ **의심을 나타내는 경우 : 파연 ~일까? / ~일 리가 없어**

It **can't** be true. 그것은 사실일 리가 없어요.

2. be able to와 may

능력 · 가능을 나타내는 경우에는 be able to로 바꿔 같은 의미로 사용할 수 있으며 may와 같이 '~해도 좋습니다'라는 허가의 의미로도 쓰일 수 있습니다. 이 can은 may 보다 격의 없는 어법입니다.

She **can** skate very well. 그녀는 스케이트를 매우 잘 탑니다. 〈능력 · 가능〉

= She **is able to** skate very well.

You **can** use the phone anytime. 언제든 전화를 써도 좋습니다. 〈허가 · 허락〉

= You **may** use the phone anytime.

패턴으로 회화감각 익히기

Pattern 1 주어 + can + 동사원형 ~.

…은 ~할 수 있습니다.

조동사 can은 '~할 수 있다 / ~해도 좋다'는 가능 · 허락의 의미를 나타내며 평서문에서 〈주어 + can + 동사원형 ~.〉의 형태로 사용됩니다.

- I **can** imagine. 나는 상상할 수 있습니다.
  아이 캔 이매진
- I **can** manage it. 내가 어떻게든 할 수 있습니다.
  아이 캔 매니지 잇
- You **can** reach me at this phone number. 이 전화번호로 나에게 연락할 수 있습니다.
  유 캔 리치 미 앳 디스 포운 넘버ㄹ
- You **can** walk to the post office in five minutes. 우체국까지 5분 만에 걸어갈 수 있습니다.
  유 캔 워크 투 더 포스트 오피스 인 파이브 미닛츠
- Mr. Young **can** see you now. 영 씨를 곧 만날 수 있습니다.
  미스터ㄹ 영 캔 씨 유 나우
- He **can** fix a car. 그는 차를 수리할 수 있습니다.
  히 캔 픽스 어 카ㄹ
- She **can** speak English fluently. 그녀는 유창하게 영어를 할 수 있습니다.
  쉬 캔 스피크 잉글리시 플루언틀리
- We **can** trust him. 우리는 그를 믿을 수 있습니다.
  위 캔 트러스트 힘
- They **can** sing very well. 그들은 노래를 아주 잘 부를 수 있습니다.
  데이 캔 씽 베리 웰

Words ++

imagine [imǽdʒin] *v.* 추측하다
manage [mǽnidʒ] *v.* 이럭저럭 해내다
reach [riːtʃ] *v.* ~와 연락을 취하다
fluently [flúːəntli] *a.* 유창하게

Pattern 2

주어 + can't + 동사원형 ~.

…은 ~할 수 없습니다.

조동사 can의 부정형은 can not / cannot / can't로 쓸 수 있습니다.

- I **can't** complain.
  아이 캔ㅌ 컴플레인
  불평할 수 없습니다.
- I **can't** believe it.
  아이 캔ㅌ 빌리브 잇
  그것을 믿을 수 없습니다.
- I **can't** find my glasses.
  아이 캔ㅌ 파인드 마이 글래시즈
  안경을 찾을 수 없습니다.
- I **can't** hear you very well.
  아이 캔ㅌ 히어ㄹ 유 베리 웰
  말하는 것을 잘 들을 수 없습니다.
- He **can't** make up his mind.
  히 캔ㅌ 메이크 업 히즈 마인드
  그는 결정할 수 없습니다.
- She **can't** go out today.
  쉬 캔ㅌ 고우 아웃 투데이
  그녀는 오늘 외출할 수 없습니다.
- We **can't** afford it.
  위 캔ㅌ 어포ㄹ드 잇
  우리는 그것을 살 여유가 없습니다.
- We **can't** stand it.
  위 캔ㅌ 스탠드 잇
  우리는 참을 수 없습니다.
- They **can't** get along.
  데이 캔ㅌ 겟 얼롱
  그들은 잘 지낼 수 없습니다.

Words ++

complain [kəmpléin] *v.* 불평하다
make up one's mind 결심하다
go out 외출하다
afford [əfɔ́ːrd] *v.* ~할 여유가 있다
stand [stænd] *v.* ~을 참다

Pattern 3

Can + 주어 + 동사원형 ~?

…은 ~할 수 있습니까?

조동사 can의 의문문은 〈Can + 주어 + 동사원형 ~?〉을 쓰며, 이 질문에는 〈Yes, 주어 + can.〉이나 〈No, 주어 + can't.〉 또는 자신의 의견을 덧붙여서 대답합니다.

- **Can** you agree to his proposal? 그의 제안에 동의할 수 있습니까?
  캔 유 어그리 투 히즈 프러포우절

  Yes, I can. 예, 할 수 있습니다.
  예스 아이 캔

- **Can** you see her point? 그녀의 이야기의 핵심을 이해할 수 있습니까?
  캔 유 씨 허ㄹ 포인트

  No, I can't see it clearly. 아니오, 확실히는 모르겠습니다.
  노우 아이 캔ㅌ 씨 잇 클리어ㄹ리

- **Can** he ski? 그는 스키를 탈 수 있습니까?
  캔 히 스키

  No, he can't. 아니오, 탈 수 없습니다.
  노우 히 캔ㅌ

- **Can** she drive? 그녀는 차를 운전할 수 있습니까?
  캔 쉬 드라이브

  Yes, she can. 예, 할 수 있습니다.
  예스 쉬 캔

- **Can** she come to work today? 그녀는 오늘 출근할 수 있습니까?
  캔 쉬 컴 투 워ㄹ크 투데이

  No, she has a bad cold. 아니오, 그너는 심힌 감기에 걸렸습니다.
  노우 쉬 해즈 어 배드 코울드

- **Can** they handle the problem? 그들은 그 문제를 처리할 수 있습니까?
  캔 데이 핸들 더 프라블럼

  Yes, I think so. 예, 처리할 수 있을 것 같습니다.
  예스 아이 씽ㅋ 쏘우

Words ++

proposal [prəpóuzəl] *n.* 제안
point [pɔint] *n.* 요점
handle [hǽndl] *v.* ~을 처리하다

Pattern 4

What[When, Where, How] + can + 주어 + 동사원형 ~?

…은 무엇을[언제, 어디에서, 어떻게] ~할 수 있습니까?

의문사가 있는 경우 〈의문사 + can + 주어 + 동사원형 ~?〉의 형태로 나타냅니다.

- **What can** I do for you? 무엇을 도와드릴까요?
  왓 캔 아이 두 풔ㄹ 유

  I'd like to see Mr. Hart. 하트 씨를 만나고 싶습니다.
  아이드 라익 투 씨 미스터ㄹ 하ㄹ트

- **When can** she go shopping? 그녀는 언제 쇼핑갈 수 있습니까?
  웬 캔 쉬 고우 샤핑

  Maybe this weekend. 아마 이번 주말일 겁니다.
  메이비 디스 위켄드

- **Where can** I get a taxi? 어디에서 택시를 탈 수 있습니까?
  웨어ㄹ 캔 아이 겟 어 택시

  There's a taxi stand in front of the hotel. 호텔 앞에 택시 승강장이 있습니다.
  데어ㄹ즈 어 택시 스탠드 인 프런트 어브 더 호우텔

- **Where can** I make a phone call? 어디에서 전화를 걸 수 있습니까?
  웨어ㄹ 캔 아이 메이크 어 포운 콜

  There's a pay phone on the corner. 모퉁이에 공중전화가 있습니다.
  데어ㄹ즈 어 페이 포운 온 더 코ㄹ너ㄹ

- **Where can** I try on this shirt? 어디에서 이 셔츠를 입어볼 수 있습니까?
  웨어ㄹ 캔 아이 트라이 온 디스 셔ㄹ트

  The fitting room is over here. 탈의실은 이쪽입니다.
  더 피팅 룸 이즈 오우버ㄹ 히어ㄹ

- **How can** she say that? 그녀는 어떻게 그렇게 말할 수 있습니까?
  하우 캔 쉬 쎄이 댓ㅌ

  She's selfish. 그녀는 이기적이에요.
  쉬즈 셀피쉬

Words ++

taxi stand 택시 승강장
try on 입어보다
over here 여기에
make a phone call 전화를 걸다
fitting room 탈의실
selfish [sélfiʃ] *a.* 이기적인

Real Talk

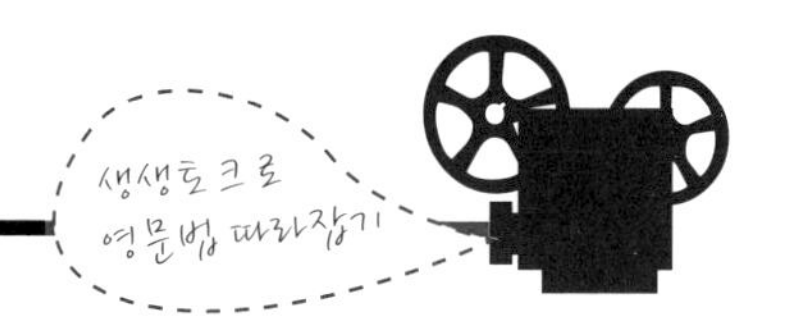

Mira is on her way home from the office. Maria asks her how to get to Myung-dong.
미라 이즈 온 허ㄹ 웨이 호움 프럼 디 오피스 마리아 애스크스 허ㄹ 하우 투 겟 투 명동

Ma : Excuse me, can you tell me how to get to Myung-dong?
익스큐즈 미 캔 유 텔 미 하우 투 겟 투 명동

M : I'm on my way there now.
아임 온 마이 웨이 데어ㄹ 나우

I'll take you there.
아일 테이크 유 데어ㄹ

Ma : Thank you very much.
땡큐 베리 머치

(They are on the platform and the subway comes.)
데이 아ㄹ 온 더 플랫폼 앤 더 썹웨이 컴즈

Ma : This subway is unbelievably crowded.
디스 썹웨이 이즈 언빌리버블리 크라우디드

Can we really get on it?
캔 위 리얼리 겟 온 잇

M : I think so. I commute on crowded subway everyday.
아이 씽ㅋ 쏘우 아이 커뮤트 온 크라우디드 썹웨이 에브리데이

Ma : Poor you!
푸어ㄹ 유

Words ++

unbelievably [ʌ̀nbilíːvəbli] *ad.* 믿을 수 없을 만큼
crowded [kráudid] *a.* 만원인
commute [kəmjúːt] *v.* 통근하다
poor [puər] *a.* 불쌍한

미라는 퇴근하는 중이다. 마리아가 미라에게 명동에 가는 길을 묻는다.

(M = Maria)

Ma : 실례지만 명동에 가는 길을 가르쳐 주시겠습니까?

M : 저는 지금 명동에 가는 길입니다.

모셔다 드릴게요.

Ma : 대단히 감사합니다.

(미라와 마리아가 플랫폼에 있는데 지하철이 온다.)

Ma : 이 지하철은 정말 혼잡하군요.

정말 탈 수 있을까요?

M : 탈 수 있을 것 같아요. 저는 매일 만원 지하철로 통근합니다.

Ma : 안됐어요.

Can you ~?

can은 또한 Can you ~?(~해주시겠어요?)형으로 의뢰표현을 만드는데 본문에 있는 회화 Can you tell me how to get to Myung-dong? 또는 Can you call me tomorrow?(내일 전화해 주시겠어요?) 등과 같이 사용됩니다.

Unit 28

may ~

~해도 좋다 / ~일지도 모른다

1. may

may는 '~해도 좋다'라는 뜻으로 동사 앞에 붙여 허락 · 추측을 나타내며 기원문이나 관용문에 사용합니다. 의문문에 쓰이면 상대방에게 정중하게 허락을 구하는 표현이 됩니다.

① 허가 · 허락을 나타내는 경우 : ~해도 좋다

You **may** watch TV. TV를 봐도 좋아요.

May I try that on? 저것을 입어 봐도 될까요?

② 추측을 나타내는 경우 : ~일지도 모른다

He **may** be a policeman. 그는 경찰일지 모릅니다.

Jenny **may** not come. 제니는 안 올지도 모릅니다.

③ 기원 · 소망을 나타내는 경우 : ~하기를

May God bless you! 신이 그대를 축복하기를!

May you be happy! 행복하기를!

2. might

may나 might에는 '~일지도 모른다'라는 추측의 의미가 있습니다. 그러나 may는 '~해도 좋다'라는 의미도 나타내므로 '~일지도 모른다'라고 하는 경우에는 might가 보다 많이 사용됩니다.

She **might** go to New York. 그녀는 뉴욕에 갈지도 모릅니다.
It **might** be a good movie. 좋은 영화일지 모릅니다.
He **might** not agree with you. 그는 당신에게 동의하지 않을지 모릅니다.

Pattern 1

may + 동사원형 ~

~해도 좋습니다

can에도 '~해도 좋다'라는 의미가 있지만 may가 can보다 격식을 차린 어법입니다. 격의 없는 회화에서는 can을 자주 씁니다. 다음의 예에서 may는 허가의 의미가 강합니다.

- You **may** keep my book for a while. 잠깐 책을 빌려도 좋습니다.
  유 메이 킵 마이 북 풔러 와일
- You **may** stay here for a couple of days. 2~3일 여기서 묵어도 좋습니다.
  유 메이 스테이 히어ㄹ 풔러 커플 어브 데이즈

Words ++

for a while 잠깐 **a couple of** 2~3의

Pattern 2

May I + 동사원형 ~?

~해도 좋습니까?

허락을 구할 때는 May I ~?를 쓰며 Can I ~?로 바꾸어 쓸 수도 있습니다. 이 질문에는 Sure.나 Certainly. 또는 All right. 등을 써서 대답합니다. 거절하는 경우에는 I'm sorry, but ~.이라고 하고 이유를 덧붙이는 것이 좋습니다.

- **May I** ask your name? 이름을 가르쳐 주시겠습니까?
  메이 아이 애스크 유어ㄹ 네임

  I'm Jeffrey Baker from AAA Company. AAA 사의 제프리 베이커입니다.
  아임 제프리 베이커ㄹ 프럼 에이에이에이 컴퍼니

- **May I** have your phone number?
메이 아이 해브 유어ㄹ 포운 넘버ㄹ
전화번호를 가르쳐 주시겠습니까?

It's 525-7745.
잇츠 파이브 투 파이브 – 쎄븐 쎄븐 풔ㄹ 파이브
525-7745입니다.

- **May I** interrupt for a moment?
메이 아이 인터ㄹ럽트 풔러 모우먼ㅌ
잠깐 실례해도 됩니까?

All right.
올 롸잇ㅌ
좋아요.

- **May I** have a glass of water, please?
메이 아이 해브 어 글래스 어브 워러ㄹ 플리즈
물 한 잔 주십시오.

Certainly.
서ㄹ튼리
알겠습니다.

- **May I** use the bathroom?
메이 아이 유즈 더 배쓰룸
화장실을 써도 됩니까?

Sure.
슈어ㄹ
좋아요.

- **May I** sit here?
메이 아이 씻 히어ㄹ
여기에 앉아도 됩니까?

I'm sorry, but a friend of mine is coming.
아임 쏘리 벗 어 프렌드 어브 마인 이즈 커밍
미안하지만 친구가 올 겁니다.

Words ++

for a moment 잠깐

bathroom [bǽθrù(:)m] *n.* 화장실

Pattern 3

may + 동사원형

~일지도 모릅니다

불확실한 추측을 나타낼 때에는 〈주어 + may + 동사원형 ~.〉을 씁니다.

- You **may** be right.
  유 메이 비 롸이트
  당신이 옳을지도 모릅니다.
- He **may** be sick.
  히 메이 비 씩ㅋ
  그는 병이 났을지도 모른다.

Pattern 4

may not + 동사원형 ~

~이 아닐지도 모릅니다

불확실한 추측의 부정은 not을 넣어서 표현합니다.

- I **may not** be home this afternoon.
  아이 메이 낫 비 호움 디스 애프터ㄹ눈
  나는 오늘 오후에 집에 있지 않을지도 모릅니다.
- She **may not** pass the test.
  쉬 메이 낫 패스 더 테스트
  그녀는 시험에 합격하지 못할지도 모릅니다.

Real Talk

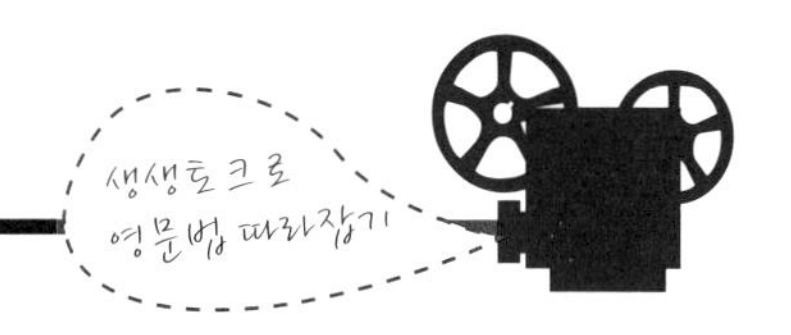

Mira answers the telephone in the office.
미라 앤서ㄹ즈 더 텔레포운 인 디 오피스

M : Good morning. World computer.
굿 모ㄹ닝 워ㄹ드 컴퓨러ㄹ

May I help you?
메이 아이 헬프 유

Ms : Hello. This is Janet Miller.
헬로우 디스 이즈 자넷 밀러ㄹ

May I speak to Miss Lee?
메이 아이 스픽 투 미스 리

M : Yes. One moment, please.
예스 원 모우먼ㅌ 플리즈

I'm sorry, she's not in the office right now.
아임 쏘리 쉬즈 낫 인 디 오피스 롸잇 나우

Ms : May I leave a message?
메이 아이 리브 어 메시지

M : Certainly.
서ㄹ튼리

Words ++

leave [liːv] *v.* ~을 남기다

미라는 사무실에서 전화를 받고 있다.

(M = Miss Miller)

M : 안녕하세요. 월드 컴퓨터입니다.
용건을 말씀해 주세요.

Ms : 여보세요. 저는 재닛 밀러입니다.
이 선생님을 부탁합니다.

M : 예, 잠깐만 기다리세요.
죄송하지만, 지금 외출중이십니다.

Ms : 전언을 남겨도 되겠습니까?

M : 예, 그러세요.

May I help you?

May I help you?는 점원이 손님에게 '어서 오세요.'라고 할 때 쓰는 표현으로 '물건 고르는 것을 도와드릴까요?'라는 의미를 지닙니다. 만약 물건을 살 생각이 없다면 I'm just looking. Thank you.(구경하는 거예요. 감사합니다.)라고 대답하면 됩니다.

have to ~ ~해야만 합니다

must ~ ~해야만 합니다

1. must

must는 필요 · 의무 · 금지 또는 강한 추측을 나타내는 조동사입니다.

① **필요 · 의무를 나타내는 경우 : ~해야 한다**(= have to)

You **must** go home now. 당신은 지금 집에 가야 해요.

② **금지를 나타내는 경우 : ~해서는 안 된다**

You **must** *not* open the window. 창을 열면 안 됩니다.

③ **강한 추측을 나타내는 경우 : ~임에 틀림없다**

She **must** be a teacher. 그녀는 선생님에 틀림없습니다.

2. must와 have to

필요 · 의무를 나타내는 경우의 must는 have to로 사용할 수 있으며 특히 과거와 미래 그리고 다른 조동사와 함께 쓸 때에는 have to를 써야 합니다.

We **had to** go there.　우리는 가야만 했습니다.　〈과거〉

They will **have to** go.　그들은 가야만 할 것입니다　〈미래〉

* will must는 안됨

3. have to의 과거형

현재의 일에 관해 '~해야 한다'라고 할 때에는 have to를 쓰지만 과거에 관한 의무나 필요를 나타내는 경우에는 다음의 예처럼 had to를 씁니다.

I **had to** change my schedule.
나는 예정을 바꿔야 했습니다.

She **had to** wait for him for two hours yesterday.
그녀는 어제 그를 2시간 이상 기다렸습니다.

Pattern 1 have[has] to + 동사원형 ~

~해야 합니다

원래 have는 '가지고 있다'는 뜻의 일반동사이지만 〈have to + 동사원형〉은 '~해야 한다'는 뜻입니다. 따라서 must와 바꿔 쓸 수 있습니다. 일상생활에서는 must 보다 have to가 더 많이 쓰입니다. 주어가 he, she, Jim(3인칭) 등일 경우는 has to를 쓰고 have to는 [hǽvtə], has to는 [hǽztə]로 발음합니다.

- I **have to** cancel the appointment. 약속을 취소해야 합니다.
  아이 해브 투 캔슬 디 어포인트먼ㅌ
- You **have to** drive carefully. 당신은 조심히 운전해야 합니다.
  유 해브 투 드라이브 케어ㄹ풀리
- He **has to** write a sales report. 그는 영업보고서를 써야 합니다.
  히 해즈 투 롸이트 어 세일즈 리포ㄹ트
- We **have to** catch the last train. 우리는 막차를 타야 합니다.
  위 해브 투 캐치 더 래스트 트레인

Pattern don't[doesn't] have to + 동사원형 ~

~할 필요 없습니다.

have to의 부정은 don't have to를 쓰며 '불필요'를 나타냅니다. 반면 must not은 '강한 금지'를 나타내므로 둘의 차이에 주의해야 합니다. 주어가 he, she, Alice(3인칭 단수) 등일 때는 doesn't를 씁니다.

- I don't **have to** get up early tomorrow. 나는 내일 일찍 일어날 필요가 없습니다.
  아이 돈ㅌ 해브 투 게럽 어ㄹ리 터마로우
- You **don't have to** worry. 당신은 걱정할 필요가 없습니다.
  유 돈ㅌ 해브 투 워리
- He **doesn't have to** hurry. 그는 서두를 필요가 없습니다.
  히 더즌ㅌ 해브 투 허리
- She **doesn't have to** shout. 그녀는 소리 지를 필요가 없습니다.
  쉬 더즌ㅌ 해브 투 샤우ㅌ

Words ++

shout [ʃaut] *v.* 외치다

Pattern 2

Do[Does] + 주어 + have to + 동사원형 ~?

…은~해야 합니까?

이 의문문에는 〈Yes, 주어 + do[does].〉나 〈No, 주어 + don't[doesn't].〉 등으로 대답합니다.

- **Do** I **have to** take the test? 시험을 치러야 합니까?
  두 아이 해브 투 테익 더 테스트

  No, you don't. 아니오, 그럴 필요 없습니다.
  노우 유 돈ㅌ
- **Do** you **have to** work late on Wednesday? 당신은 수요일에 잔업을 해야 합니까?
  두 유 해브 투 워ㄹ크 레잇 온 웬즈데이

  Yes, I do. 예, 해야 합니다.
  예스 아이 두
- **Does** he **have to** go into the hospital? 그는 입원해야 합니까?
  더즈 히 해브 투 고우 인투 더 하스피틀

No, he doesn't.
노우 히 더즌ㅌ

아니오, 그럴 필요 없습니다.

Words ++

into the hospital 입원하다

Pattern 4 Where[What] + do[does] + 주어 + have to + 동사원형 ~?

…은 어디에서[무엇을] 해야 합니까?

의문사가 있을 때에는 〈의문사 + do[does] + 주어 + have to + 동사원형 ~?〉의 형태로 나타냅니다.

- **Where does** she **have to** change buses?
  웨어ㄹ 더즈 쉬 해브 투 체인지 버시즈

  그녀는 어디에서 버스를 갈아타야 합니까?

  She has to change buses at Monterey.
  쉬 해즈 투 체인지 버시즈 앳 몬테레이

  몬테레이에서 갈아타야 합니다.

- **What do** we **have to** do?
  왓 두 위 해브 투 두

  우리는 무엇을 해야 합니까?

  We have to cut down on expenses.
  위 해브 투 컷 다운 온 익스펜시즈

  우리는 경비를 절약해야 합니다.

Words ++

expenses [[ikspéns] *n.* 〈복수형으로〉 비용

cut down on ~을 절약하다

Pattern 5

must + 동사원형 ~

~해야 합니다

have to와 같이 must에도 '~해야 한다'라는 의미가 있지만 회화에서는 대개 have to를 씁니다. must는 have to보다 의무감을 강하게 나타내는 표현입니다.

- I **must** apologize. 나는 사과해야 합니다.
  아이 머스트 어팔러자이즈
- You **must** lock the door. 당신은 문을 잠가야 합니다.
  유 머스트 락 더 도어ㄹ

Words ++

apologize [əpálədʒàiz] *v.* 사과하다 **lock** [lak] *v.* ~에 자물쇠를 채우다

Pattern 6

mustn't + 동사원형 ~

~해서는 안 됩니다

〈must not + 동사원형〉은 '절대 ~해서는 안 된다'의 의미를 지니며 mustn't로 축약해서 쓰기도 합니다.

- You **mustn't** be late for the meeting. 회의에 늦으면 안 됩니다.
  유 머슨트 비 레잇 풔ㄹ 더 미팅
- We **mustn't** waste food. 우리는 음식물을 낭비해서는 안 됩니다.
  위 머슨트 웨이스트 푸드

Words ++

mustn't = must not

Pattern 7

must + 동사원형 ~

~임에 틀림없습니다

강한 추측을 나타낼 때 사용되기도 합니다.

- You **must** be happy. 행복하겠군요.
  유 머스트 비 해피
- He **must** be Mr. Walter. 그는 월터 씨겠군요.
  히 머스트 비 미스터ㄹ 월터ㄹ
- He **must** be about fifty years old. 그는 대략 50살이겠군요.
  히 머스트 비 어바웃 피프티 이어ㄹ즈 오울드
- She **must** be very tired. 그녀는 피곤하겠군요.
  쉬 머스트 비 베리 타이어ㄹ드
- She **must** know Ted. 그녀는 테드를 알겠군요.
  쉬 머스트 노우 테드

Real Talk

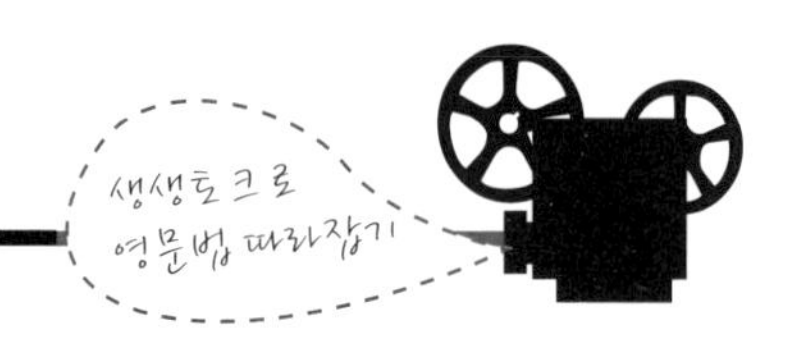

Mira is busy working in the office.
미라 이즈 비지 워ㄹ킹 인 디 오피스

Nr : Will you make ten copies of this?
웰 유 메이크 텐 카피즈 어브 디스

M : Certainly.
서ㄹ튼리

Cr : Will you mail these letters?
웰 유 메일 디즈 레러ㄹ즈

M : I'm sorry, I have to make photocopies now.
아임 쏘리 아이 해브 투 메이크 포토카피즈 나우

Would you wait?
우쥬 웨잇ㅌ

Cr : Sure.
슈어ㄹ

(Mira finishes the work.)
미라 피니쉬즈 더 워ㄹ크

M : Oh, it's six o'clock. I have a date tonight.
오우 잇츠 씩스 어클락ㅋ 아이 해브 어 데이트 투나잇ㅌ

I have to go now.
아이 해브 투 고우 나우

Words ++

mail [meil] *v.* ~을 우송하다

미라가 사무실에서 바쁘게 일하고 있다.

(Nr = Mr. Newman / Cr = Mr. Cook)

Nr : 이것을 10장 복사해 주시겠어요?

M : 알겠습니다.

Cr : 이 편지를 부쳐주시겠어요?

M : 죄송하지만 지금 복사를 해야 합니다.
기다려 주시겠습니까?

Cr : 좋아요.
(미라가 일을 끝낸다.)

M : 6시네요. 오늘 밤 데이트가 있어요.
이제 가야 해요.

have got to

have to의 격의 없는 표현으로 have got to가 회화에 자주 쓰입니다. I have got to go shopping.(나는 쇼핑하러 가야 합니다.)은 실제 I've gotta go shopping.으로 발음됩니다. I gotta go shopping.은 더 격의 없는 어법으로 gotta는 [가러]로 발음되는 경우도 있습니다.

I've gotta pick him up at the airport. 공항으로 그를 마중가야 합니다.

He**'s gotta** study more. 그는 더 공부해야 해요.

We**'ve gotta** think of a better project. 우리는 더 좋은 계획을 생각해야 해요.

Unit 30

would like ~

~을 원합니다

would like to ~

~하고 싶습니다

1. would

will의 과거형이나 그 자체의 용법을 가진 조동사로 사용됩니다.

① **과거의 불규칙적인 습관** : ~**하곤 했다**

I **would** play basketball. 나는 농구를 하곤 했습니다.

② **주어의 의지 · 주장 · 거절** : ~**하려고 했다**

Henry **would** not accept my advice.
헨리는 내 조언을 받아들이려고 하지 않습니다.

③ **정중하고 공손한 표현** : Will you ~? **보다 정중한 부탁의 표현**

Would you do me a favor? 부탁 좀 들어주시겠어요?

2. 겸양의 would

would에는 '아마 ~이겠죠.'라는 의미의 겸양의 어법이 있습니다. 이 would는 본문 회화 속의 That would be nice.나 다음의 예와 같이 쓰입니다.

When **would** be convenient? 언제가 편하시겠어요?

- Thursday **would** be all right. 목요일이면 좋겠습니다.

3. Would you ~?

Would you ~?(~해주시겠습니까?)는 다음과 같이 상대방에게 부탁하는 경우에 사용하는 표현입니다.

Would you give me a ride? 차를 태워 주시겠습니까?

4. would rather + 동사원형

'(차라리) ~하는 게 낫다'라는 뜻입니다.

I'd rather stay home. 나는 차라리 집에 있는 게 좋겠습니다.

패턴으로 회화감각 익히기

Pattern 1 would like + 명사

~를 원합니다

would는 will의 과거형이지만 그 자체의 용법을 가진 조동사로도 사용합니다. would like는 want(~을 원하다)보다 좀 더 정중한 표현으로 '~하고 싶다'라는 뜻입니다.

- **I'd like** some information about bus tours. 버스관광에 대한 정보를 주십시오.
  아이드 라익 썸 인풔ㄹ메이션 어바웃 버스 투어ㄹ즈
- **I'd like** a wake-up call at seven tomorrow morning. 내일 아침 7시에 모닝콜을 해 주십시오.
  아이드 라이커 웨이컵 콜 앳 쎄븐 투마로우 모ㄹ닝
- **I'd like** extension 215, please. 내선 215번을 연결해 주십시오.
  아이드 라익ㅋ 익스텐션 투 원 파이브 플리즈
- **I'd like** a hamburger, please. 햄버거를 주십시오.
  아이드 라이커 햄버ㄹ거ㄹ 플리즈

Words ++

information [ìnfərméiʃən] *n.* 정보 **extension** [iksténʃən] *n.* (전화의) 내선

Pattern 2 Would you like + 명사 ~?

~는 어떻습니까?

상대방에게 사물을 권하는 경우에 씁니다. Yes, please. 또는 No, thank you. 등으로 대답합니다.

- **Would you like** another cup of tea? 홍차 한 잔 더 어떻습니까?
  우쥬 라이크 어나더ㄹ 컵 어브 티

  Yes, please. 예, 주십시오.
  예스 플리즈

- **Would you like** some more salad? 샐러드 좀 더 어떻습니까?
  우쥬 라이크 썸 모어ㄹ 샐러드

  No, thank you. 아니오, 됐습니다.
  노우 땡큐

  I've had enough. 많이 먹었습니다.
  아이브 해드 이너프

Words ++

some [sʌm] *a.* 얼마간(다른 사람에게 권하는 경우에는 의문문에서도 **some**을 쓴다.)

enough [inʌ́f] *a.* 충분한

Pattern 3

would like to + 동사원형 ~

~하고 싶습니다

would like to ~는 want to(~하고 싶습니다)보다 정중한 표현입니다.

- **I'd like to** see Mr. Clifford. 클리포드 씨를 만나고 싶습니다.
  아이드 라익 투 씨 미스터ㄹ 클리포ㄹ드

- **I'd like to** buy three tickets for the concert. 콘서트 표를 세 장 사고 싶습니다.
  아이드 라익 투 바이 쓰리 티킷츠 풔ㄹ 더 콘서ㄹ트

- **I'd like to** make a collect call to Korea. 한국으로 컬렉트콜을 걸고 싶습니다.
  아이드 라익 투 메이크 어 콜렉트 콜 투 코리아

- **I'd like to** send this parcel to Korea by sea mail. 이 소포를 선편으로 한국에 보내고 싶습니다.
  아이드 라익 투 센드 디스 파ㄹ슬 투 코리아 바이 씨 메일

Words ++

collect call 컬렉트 콜(수신자 부담 통화) **sea mail** 선편

Pattern 4 Would you like to + 동사원형 ~?

~하지 않겠습니까?

상대방에게 정중하게 묻는 표현으로 이 의문문에는 Yes, I would. 또는 I'd love to. 등으로 대답하고 거절하는 경우에는 I'm sorry, but ~. 뒤에 이유를 첨가해서 대답할 수 있습니다.

- **Would you like to** go to a baseball game with me? 나와 함께 야구경기 보러 가지 않겠습니까?
  우쥬 라익 투 고우 투 어 베이스볼 게임 위드 미

  Yes, I would. 예, 가겠습니다.
  예스 아이 우드

Real Talk

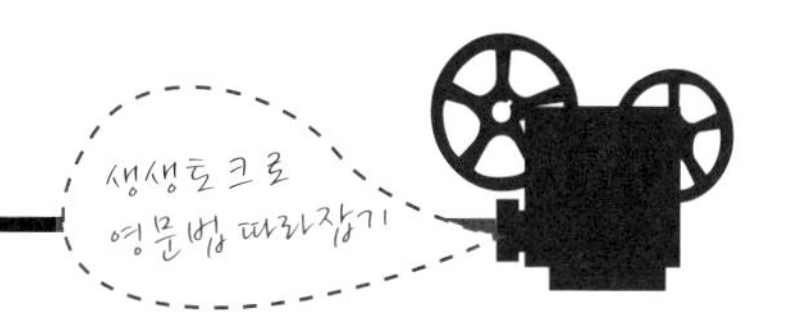

Mira invites her friend Lily to her house.
미라 인바잇츠 허ㄹ 프렌드 릴리 투 허ㄹ 하우스

M : Would you like to come over for lunch this Sunday?
우쥬 라익 투 컴 오우버ㄹ 풔ㄹ 런치 디스 썬데이

L : Thanks. I'd love to.
땡스 아이드 러브 투

What time?
왓 타임

M : How about eleven o'clock?
하우 어바웃 일레븐 어클락ㅋ

L : That would be nice.
댓 우드 비 나이스

M : Do you like Korean food?
두 유 라익 코리안 푸드

L : Yes, it's my favorite.
예스 잇츠 마이 페이버릿

M : I'll make bulgogi, then.
아일 메익 불고기 덴

Words ++

I'd = I would **then** [ðen] *ad.* 그러면

미라는 친구 릴리를 집에 초대한다.

(L = Lily)

M : 이번 일요일에 점심 먹으러 올래요?

L : 고마워요. 기꺼이 가죠.
몇 시에요?

M : 11시 어때요?

L : 좋아요.

M : 한식 좋아하세요?

L : 예, 아주 좋아해요.

M : 그럼 불고기를 만들게요.

enough

enough를 형용사나 부사와 함께 사용할 경우에는 항상 형용사나 부사 뒤에 enough를 사용하는 것을 주의합시다. '그것은 충분히 넓다.'라는 표현을 할 때 It is enough large.는 틀린 문장입니다. It is large enough.로 표현해야 합니다.

Unit 31

could ~할 수 있었습니다
should~ ~해야 합니다

1. could

could는 can의 과거형으로 '~할 수 있었다'라는 뜻입니다. 역시 조동사로 일반 동사 앞에 쓰입니다.

Jenny **could** finish the homework. 제니는 숙제를 끝낼 수 있었습니다.

could는 상대방에게 무엇을 부탁하거나 요청할 때에도 쓰입니다.

Could you show me the ticket? 표를 보여주시겠어요?

2. should

shall의 과거형이나 후회나 의무를 나타내는 조동사로 사용됩니다.

① 과거에 대한 유감이나 후회를 나타낼 때 : ~했어야 했다

should는 '~했어야 했다'는 뜻으로 과거에 하지 못한 일에 대한 유감이나 후회를 나타낼 때 씁니다. 이때는 〈should + have + 과거분사〉의 형태로 쓰입니다.

I **should** have done that work. 그 일을 했어야 했는데.

② 의무를 나타낼 때 : ~해야 한다

should는 shall의 과거형이지만 '~해야 한다'라고 의무나 당위를 나타낼 때도 쓰입니다.

Henry **should** go to school now. 헨리는 이제 학교에 가야 합니다.

패턴으로 회화감각 익히기

Pattern 1 could + 동사원형 ~

~할 수 있었습니다

can의 과거형은 could로 〈주어 + could + 동사원형 ~.〉은 '~할 수 있었다'를 나타냅니다.

- I **could** see Mt. Hanla from my house clearly yesterday. 어제 우리 집에서 한라산을 확실히 볼 수 있었습니다.
  아이 쿠드 씨 마운트 한라 프럼 마이 하우스 클리어ㄹ리 예스터ㄹ데이
- He **could** play tennis better before. 그는 전에 테니스를 더 잘 할 수 있었습니다.
  히 쿠드 플레이 테니스 베러ㄹ 비풔ㄹ

Pattern 2 couldn't + 동사원형 ~

~할 수 없었습니다

could의 부정은 could not으로 '~할 수 없었다'를 나타냅니다.

- I **couldn't** sleep very well last night. 나는 어젯밤에 잘 잘 수 없었습니다.
  아이 쿠든ㅌ 슬립 베리 웰 래스트 나잇ㅌ
- I **couldn't** remember his address. 나는 그의 주소를 기억할 수 없었습니다.
  아이 쿠든ㅌ 리멤버ㄹ 히ㅈ 어ㄷ레ㅅ

Words ++

couldn't = could not

remember [rimémbər] *v.* ~을 기억하다

Pattern 3

Could + 주어 + 동사원형 ~?

…은 ~할 수 있었습니까?

이 질문에는 〈Yes, 주어 + could.〉나 〈No, 주어 + couldn't.〉 등으로 대답합니다.

- **Could** you find the key to your car? 차 열쇠를 찾을 수 있었습니까?
  쿠쥬 파인드 더 키 투 유어ㄹ 카ㄹ

  No, I couldn't. 아니오, 찾을 수 없었습니다.
  노우 아이 쿠든ㅌ

- **Could** they solve the problem? 그들은 그 문제를 해결할 수 있었습니까?
  쿠드 데이 살브 더 프라블럼

  Yes, they could. 예, 할 수 있었습니다.
  예스 데이 쿠드

Words ++

solve [salv] *v.* ~을 해결하다

Pattern 4

should + 동사원형 ~

~해야 합니다(~하면 좋겠습니다 / ~하는 편이 좋습니다)

should는 '~해야 한다'는 의무를 뜻하기도 합니다.

- You **should** get in touch with her. 그녀와 연락을 취하는 게 좋겠습니다.
  유 슈드 겟 인 터치 위드 허ㄹ
- You **should** take your umbrella. 우산을 가지고 가는 게 좋겠습니다.
  유 슈드 테이크 유어ㄹ 엄브렐러
- You **should** get plenty of rest. 충분한 휴식을 취하는 게 좋습니다.
  유 슈드 겟 플렌티 어브 레스트
- He **should** answer the letter right away. 그는 즉시 그 편지에 답장해야 합니다.
  히 슈드 앤서ㄹ 더 레러ㄹ 롸잇 어웨이

- We **should** help each other. 우리는 서로 도와야 합니다.
  위 슈드 헬프 이치 아더ㄹ

Words ++

plenty of 충분한 **right away** 즉시 **each other** 서로

Pattern 5 shouldn't + 동사원형 ~

~해서는 안 됩니다

should의 부정문은 should not이며 shouldn't로 줄여 쓸 수도 있습니다.

- You **shouldn't** complain so much. 그렇게 불평해서는 안 됩니다.
  유 슈든ㅌ 컴플레인 쏘우 머치
- You **shouldn't** ignore her advice. 그녀의 충고를 무시해서는 안 됩니다.
  유 슈든ㅌ 이그노어ㄹ 허ㄹ 어드바이스
- We **shouldn't** argue about something so trifling. 우리는 그렇게 사소한 일로 언쟁을 해서는 안 됩니다.
  위 슈든ㅌ 아ㄹ규 어바웃 썸씽 쏘우 트리플링

Words ++

shouldn't = **should not** **ignore** [ignɔ́ːr] v. ~을 무시하다 **trifling** [tráifliŋ] a. 하찮은

Pattern 6 Should + 주어 + 동사원형 ~?

…은 ~해야 합니까?

의문문은 〈Should + 주어 + 동사원형 ~?〉의 형태로 나타냅니다.

- **Should** I sign here? 여기에 서명해야 합니까?
  슈다이 싸인 히어ㄹ

  Yes, please. 예, 부탁합니다.
  예스 플리즈

- **Should** I make a reservation? 예약을 해야 합니까?
  슈다이 메이커 레저ㄹ베이션

  No, it isn't necessary. 아니오, 그럴 필요 없습니다.
  노우 잇 이즌ㅌ 네서세리

- **Should** we wait and see? 우리는 지켜보는 게 좋습니까?
  슈드 위 웨잇 앤 씨

  Yes, you should. 예, 그러는 편이 좋겠습니다.
  예스 유 슈드

Words ++

reservation [rèzəːrvéiʃən] *n.* 예약

wait and see 결과를 지켜보다

Pattern 7 의문사를 should의 의문문 앞에 놓으면 다음과 같은 질문을 할 수 있다

의문사가 있을 때는 〈의문사 + should + 주어 + 동사원형 ~?〉의 형태로 씁니다.

- When **should** I submit the report? 언제 리포트를 제출하면 됩니까?
  웬 슈드 아이 섭밋 더 리포ㄹ트

  Next Monday. 다음 주 월요일입니다.
  넥스트 먼데이

- How many copies **should** I make? 얼마나 복사를 해야 합니까?
  하우 매니 카피즈 슈다이 메이크

  Five, please. 5부를 부탁합니다.
  파이브 플리즈

- Which dress **should** I wear to the party? 파티에 어느 드레스를 입고 가면 됩니까?
  위치 드레스 슈다이 웨어ㄹ 투 더 파ㄹ티

  How about the light blue one with a ribbon? 리본이 달린 옅은 청색 드레스는 어떻습니까?
  하우 어바웃 더 라잇 블루 원 위드 어 리본

Words ++

submit [səbmít] *v.* ~을 제출하다

Pattern 8

should + 동사원형 ~

당연히 ~할 것입니다

should에는 '~해야 한다'라는 의미 외에도 '당연히 ~할 것이다'라는 뜻도 있습니다.

- She **should** be back soon. 그녀는 곧 돌아 올 겁니다.
  쉬 슈드 비 백 순
- This shirt **should** fit you. 이 셔츠는 당신에게 꼭 맞을 겁니다.
  디스 셔르트 슈드 핏 유
- They **should** arrive at Seoul by two. 그들은 2시까지 서울에 도착할 겁니다.
  데이 슈드 어라이브 앳 서울 바이 투

could와 was[were] able to

could나 was[were] able to는 모두 '~할 수 있었다'라는 의미를 나타내지만 다음과 같은 차이가 있습니다.

무엇인가를 할 수 있는 능력이 있었던 경우는 could 또는 was[were] able to를 모두 쓸 수 있으므로 She should[was able to] play the piano when she was a child.(그녀는 어렸을 때 피아노를 아주 잘 칠 수 있었습니다.)라고 할 수 있습니다. 한편 어떤 일을 성취한 경우에는 was[were] able to를 써서 She was able to get a job with a trading company.(그녀는 무역회사에 취직할 수 있었습니다.)라고 해야 합니다.

Real Talk

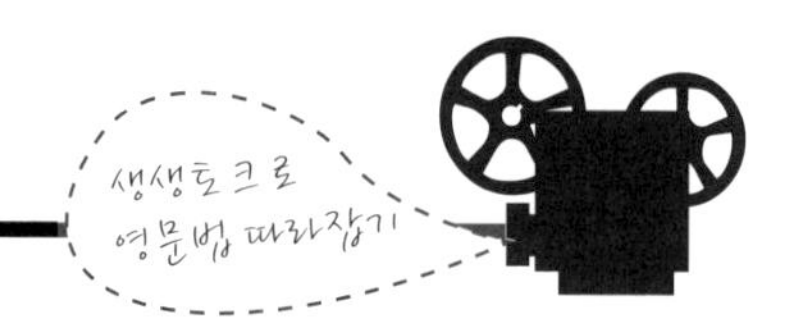

Mira tells Lily how to get to her house.
미라 텔즈 릴리 하우 투 겟 투 허ㄹ 하우스

L : How do I get to your house?
하우 두 아이 겟 투 유어ㄹ 하우스

M : Take the Subway Line 1 from City Hall.
테익 더 서브웨이 라인 원 프럼 시티 홀

L : Where should I get off?
웨어ㄹ 슈다이 겟 오프

M : At Chung-nyang ri Station.
앳 청-냥 리 스테이션

L : Could you tell me the name of the station again?
쿠쥬 텔 미 더 네임 어브 더 스테이션 어겐

M : Chung-nyang ri.
청-냥 리

L : I got it.
아이 가릿

M : When you get there, call me, O.K.?
웬 유 겟 데어ㄹ 콜 미 오우케이

I'll come to get you at the station.
아일 컴 투 겟 유 앳 더 스테이션

Words ++

got it 알았다 〈got : get의 과거형〉　　**get off** ~에서 내리다

미라가 집에 오는 길을 릴리에게 가르쳐 주고 있다.

L : 당신 집은 어떻게 가야 하죠?

M : 시청에서 1호선을 타세요.

L : 어디에서 내려야 하죠?

M : 청량리역에서요.

L : 역 이름을 다시 한 번 말씀해 주시겠어요?

M : 청-량-리.

L : 알았어요.

M : 거기에 도착하면 전화하세요.
역까지 마중하러 갈게요.

Could you ~?

본문 회화에 Could you tell me the name of the station again?이라는 표현이 나오는데 이 Could you ~?는 '~해 주시겠습니까?'라는 의미를 나타내고 상대방에게 무엇인가를 부탁할 때 사용합니다.

Could you break a fifty-dollar bill?

50달러 지폐를 거슬러 주시겠습니까?

Could you recommend a hotel near the airport?

공항 근처에 있는 호텔을 소개해 주시겠습니까?

please를 붙이면 더욱 정중한 어법이 됩니다.

Could you please hand this to Mr. Holmes?

이것을 홈즈 씨에게 전해 주시겠습니까?

Unit 32

[명령문] 동사원형 ~.

~하세요.

1. 명령문

명령문은 말 그대로 상대에게 '~해라'라고 명령하는 말입니다. 다른 사람에게 명령할 때에는 듣는 사람이 you(너, 당신)로 정해져 있기 때문에 명령문 앞에는 you를 생략하고 동사를 문장 맨 앞에 두며 항상 원형을 사용합니다. 명령문의 문두나 문미에 please를 붙이면 정중한 표현이 됩니다.

2. 명령문의 종류

① be동사 명령문

be동사로 시작하는 명령문으로 명령문에서는 am, are, is가 아닌 원형인 'be'를 씁니다.

Be quite. 조용히 해요.

② 일반동사 명령문

일반동사로 시작하는 명령문으로 영어에서 가장 많이 쓰이는 형태입니다.

Close the door. 문을 닫아요.

③ **부정 명령문**

부정을 나타내는 단어 not을 넣어 '~하지 마'라고 하는 명령문입니다.

Don't stay here. 여기 있지 마세요.

④ **제안 명령문**

Let's ~.를 써서 '우리 ~하자.'라고 제안하는 명령문의 형태를 제안명령문이라고 합니다.

Let's dance. 우리 춤추자.

Pattern 1 동사원형 ~.

~하세요.

상대방에게 '~하세요'라고 할 때에는 주어 없이 동사원형으로 시작하는 문장으로 합니다.

- **Be** careful. 조심하세요.
  비 케어ㄹ풀
- **Be** patient. 참으세요.
  비 페이션트
- **Take** it easy. 편히 하세요.
  테이킷 이지
- **Keep** the change. 거스름돈은 가지세요.
  킵 더 체인지
- **Leave** me alone. 혼자 있게 두세요.
  리브 미 얼론

Words ++

patient [péiʃənt] *a.* 참을성 있는 **change** [tʃeindʒ] *n.* 잔돈

Pattern 2 Please + 동사원형 ~. / 동사원형 ~, please.

~해 주세요.

문장의 끝이나 앞에 please를 붙이면 정중한 어법이 됩니다.

- **Please be** quiet. 조용히 해 주십시오.
  플리즈 비 콰이엇

- **Please say** hello to your family. 가족들에게 안부 전해 주십시오.
  플리즈 쎄이 헬로우 투 유어ㄹ 패밀리
- **Take** me to the Fairmont Hotel, **please.** 페어몬트 호텔까지 데려가 주십시오.
  테익 미 투 더 페어ㄹ몬트 호텔 플리즈

Words ++

say hello ~에게 안부를 전하다

Pattern 3

Don't + 동사원형 ~.

~하지 마세요.

부정문은 동사원형 앞에 don't를 붙입니다.

- **Don't** be shy. 부끄러워 마세요.
  돈ㅌ 비 샤이
- **Don't** be silly. 바보 같은 짓 마세요.
  돈ㅌ 비 실리
- **Don't** be nervous. 초조해 하지 마세요.
  돈ㅌ 비 너ㄹ버스
- **Don't** forget. 잊지 마세요.
  돈ㅌ 풔ㄹ겟ㅌ
- **Don't** drink so much. 과음하지 마세요.
  돈ㅌ 드링크 쏘우 머치
- **Don't** misunderstand me. 내 말을 오해하지 마세요.
  돈ㅌ 미스언더ㄹ스탠ㄷ 미

Words ++

silly [síli] *a.* 어리석은 **misunderstand** [mìsʌndərstǽnd] *v.* ~을 오해하다

Pattern 4

Please don't + 동사원형 ~. / Don't + 동사원형 ~, please.

~하지 말아 주십시오.

부정 명령문의 앞이나 뒤에 please를 붙이면 좀더 정중한 표현이 됩니다.

- **Please don't** be discouraged. 용기를 잃지 말아 주십시오.
  플리즈 돈ㅌ 비 디스커리지드
- **Don't** bother me, **please**. 나를 성가시게 하지 말아 주세요.
  돈ㅌ 바더ㄹ 미 플리즈

Words ++

bother [[báðər] *v.* ~을 괴롭히다

Real Talk

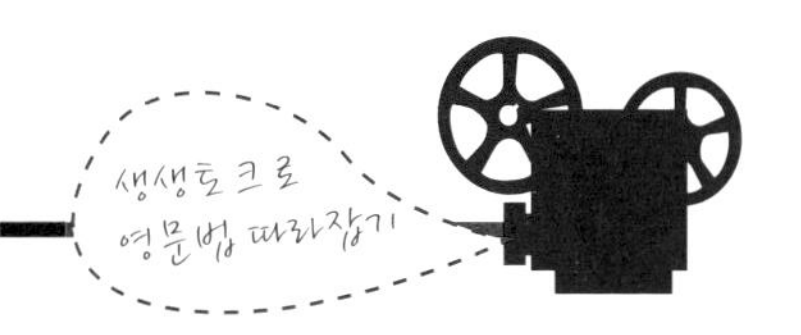

Lily asks Mira how to make bulgogi.
릴리 애스크스 미라 하우 투 메익 불고기

L : I smell something very good, Mira.
아이 스멜 썸씽 베리 굿 미라

M : I'm cooking bulgogi.
아임 쿠킹 불고기

L : How do you cook it?
하우 두 유 쿡 잇

M : Well, first, marinate thinly sliced tender beef with a seasoning mixture of soy sauce, shopped garlic and green onions, sugar, sesame oil, black pepper, and ground pear.
웰 풔ㄹ스트 매러네이트 씬리 슬라이스드 텐더ㄹ 비프 위드 어 씨즈닝 믹스쳐ㄹ 어브 소이 소스 샵드 가ㄹ릭 앤 그린 어니언스 슈거ㄹ 새서미 오일 블랙 페퍼ㄹ 앤 그라운드 페어ㄹ

Next, wait for at least two hours until the beef is seasoned well enough.
넥스트 웨잇 풔ㄹ 앳 리스트 투 아우어ㄹ즈 언틸 더 비프 이즈 씨즌드 웰 이너프

Then, barbecue it.
덴 바ㄹ비큐 잇

L : Can I try it?
캔 아이 트라이 잇

M : Sure. Go ahead.
슈어ㄹ 고우 어헤드

Words ++

marinate [mǽrənèit] *v.* 고기를 양념즙에 담그다

season(ing) [síːzən(iŋ)] *v.* 양념하다, 맛을 내다

sesame [sésəmi] *n.* 참깨

barbecue [báːrbikjùː] *v.* 굽다

tender [téndər] *a.* 부드러운, 연한

garlic [gáːrlik] *n.* 마늘

pear [pɛər] *n.* 배

릴리는 미라에게 불고기 만드는 법을 묻는다.

L : 뭔가 냄새가 좋은데요, 미라.

M : 불고기 요리를 하고 있어요.

L : 어떻게 만들죠?

M : 음, 우선 간장, 작게 썬 마늘과 파, 설탕, 참기름, 후추 그리고 갈은 배로 양념을 해서 연한 쇠고기와 섞으세요.

그 다음은 쇠고기가 충분히 잘 맛이 날 때까지 최소한 2시간 동안 기다리세요.

그리고나서 구우세요.

L : 제가 한번 해봐도 될까요?

M : 좋아요. 해보세요.

지나치게 ~해서는 안 됩니다.

'너무 ~하지 마세요'라고 충고할 때에는 Don't ~.(~하지 마세요.)와 too(너무)를 이용해서 다음과 같이 말한다.

Don't eat too much. 과식하지 마세요.
돈ㅌ 잇 투 머치

Don't worry too much. 너무 걱정 마세요.
돈ㅌ 워리 투 머치

Don't drive too fast. 과속하지 마세요.
돈ㅌ 드라이브 투 패스트

Don't talk on the phone too long. 너무 오래 통화하지 마세요.
돈ㅌ 토크 온 더 포운 투 롱

Unit 33

Let's + 동사원형 ~.

~합시다.

Let me + 동사원형 ~.

제가 ~하겠습니다.

1. Let's

Let's는 Let us를 줄여서 쓴 말로 '~하자'라는 의미입니다. 일반동사 명령문 앞에 Let's만 붙이면 됩니다.

Let's eat out. 외식합시다.

Let's get started. 시작합시다.

Let's get in line. 줄을 섭시다.

2. Let's의 부정문

Let's의 부정문은 〈Let's not + 동사원형 ~.〉을 사용합니다. 예를 들어 '기다리지 맙시다.'라고 하고 싶으면 Let's not wait.이라고 합니다. Don't let's ~.도 있지만 Let's not ~.이 훨씬 일반적입니다.

3. Let's ~에 대한 대답

Let's go for a walk.(산책하러 갑시다.)라고 권유받고 갈 생각이 있다면 Yes, let's.(예, 그럽시다.)나 All right.(좋아요.), Sure.(물론이에요.) 등으로 대답합니다.

거절할 경우에는 No, I'd rather not.(미안하지만 가고 싶지 않아요.) 또는 I'm sorry, but I'm very tired.(미안하지만 아주 피곤해서요.) 등과 같이 이유를 덧붙여서 대답할 수 있습니다.

Pattern 1 **Let's + 동사원형~.**

~합시다.

Let's ~.는 '~하자'의 뜻으로 '권유'를 나타내는 표현입니다. Let's ~ 뒤에는 항상 동사원형이 오며 뒤에 shall we를 붙여 '~할까요? / ~하지 않겠어요?'의 형태로도 쓸 수 있습니다.

- **Let's** get back to work. 이제 다시 일합시다.
  렛츠 겟 백 투 워ㄹ크
- **Let's** get in the car. 차에 탑시다.
  렛츠 겟 인 더 카ㄹ
- **Let's** get together again sometime. 언젠가 또 모입시다.
  렛츠 겟 투게더ㄹ 어겐 썸타임
- **Let's** have a Christmas party. 크리스마스 파티를 합시다.
  렛츠 해브 어 크리스마스 파ㄹ티
- **Let's** have lunch at that restaurant. 저 식당에서 점심을 먹읍시다.
  렛츠 해브 런치 앳 댓 레스터런ㅌ
- **Let's** go for a drive. 드라이브 하러 갑시다.
  렛츠 고우 풔러 드라이브
- **Let's** drink a toast. 건배합시다.
  렛츠 드링크 어 토우스트
- **Let's** split the bill. 나누어 냅시다.
  렛츠 스플릿 더 빌
- **Let's** take a picture here. 여기에서 사진을 찍읍시다.
  렛츠 테이커 픽쳐ㄹ 히어ㄹ

Words ++

get back to ~로 돌아가다
get in ~에 타다
go for a drive 드라이브 가다
toast [toust] *n.* 건배

split [split] *v.* ~을 분담하다   **bill** [bil] *n.* 계산서

Pattern 2

Let me + 동사원형 ~.

제가 ~하겠습니다.

Let me ~.는 '제가 ~을 하겠습니다 '라는 '의지'를 나타내는 표현입니다.

- **Let me** explain. 제가 설명하겠습니다.
  렛 미 익스플레인
- **Let me** treat you. 제가 대접하겠습니다.
  렛 미 트릿ㅌ 유
- **Let me** sleep ten more minutes. 10분 더 자겠습니다.
  렛 미 슬립 텐 모어ㄹ 미닛츠
- **Let me** check. 조사해 보겠습니다.
  렛 미 체크
- **Let me** take your coat. 코트를 맡겠습니다.
  렛 미 테익 유어ㄹ 코우트
- **Let me** have your bag. 가방을 맡겠습니다.
  렛 미 해브 유어ㄹ 백
- **Let me** introduce myself. 제 소개를 하겠습니다.
  렛 미 인트러듀스 마이셀프
- **Let me** give you my card. 명함을 드리겠습니다.
  렛 미 기브 유 마이 카ㄹ드
- **Let me** congratulate you on your wedding. 결혼을 축하드립니다.
  렛 미 컨그레츄레잇 유 온 유어ㄹ 웨딩

Words ++

explain [iksplέin] *v.* 설명하다   **treat** [tri:t] *v.* ~에게 한 턱 내다
check [tʃek] *v.* 조사하다   **congratulate** [kəngrǽtʃəlèit] *v.* ~을 축하하다

Real Talk

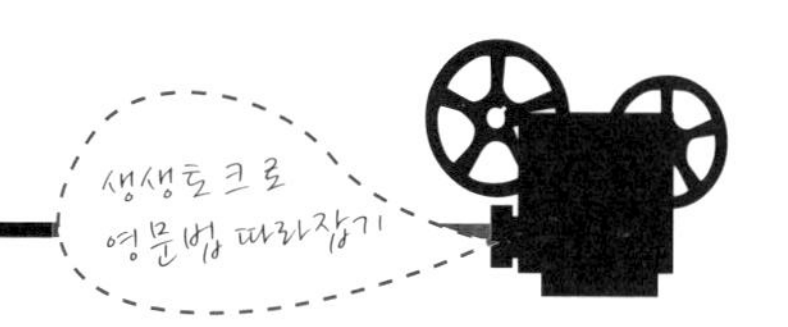

Mira and Roger are going to carry a palanquin in the summer festival.
미라 앤 로저ㄹ 아ㄹ 고우잉 투 캐리 어 패러킨 인 더 썸머ㄹ 페스티벌

M : We can carry a palanquin, Roger.
위 캔 캐리 어 패러킨 로저ㄹ

R : Really? OK, let's do it.
리얼리 오우케이 렛츠 두 잇

(Half an hour later, they take a rest.)
해프 언 아우어ㄹ 레이러ㄹ 데이 테이커 레스트

M : I'm very hot.
아임 베리 핫ㅌ

R : I'm dripping with sweat.
아임 드립핑 위드 스위트

I'm really thirsty.
아임 리얼리 써ㄹ스티

M : Me, too.
미 투

Let's have something cold to drink.
렛츠 해브 썸씽 코울드 투 드링크

R : Yeah, let's.
예 렛츠

Words ++

palanquin [pæləŋkíːn] *n.* 1인승 가마
drip(ping) [drip(piŋ)] *v.* 뚝뚝 떨어지다
sweat [swet] *n.* 땀

미라와 로저는 여름 축제에서 '가마'를 멘다.

M : 우리 '가마'를 메도 돼요, 로저.

R : 그래요? 자, 메요.

(30분 후에 미라와 로저는 쉰다.)

M : 매우 덥군요.

R : 땀이 떨어져요.

정말 목이 말라요.

M : 나도요.

찬 것 좀 마십시다.

R : 예, 그러죠.

What does he do?

'그는 무슨 일을 하니?'라고 표현하고 싶을 때 자주 범하는 실수가 있습니다. What does he do?라는 문장에서 does를 이미 사용했기 때문에 뒤에 do를 빼놓기가 쉽습니다. 앞의 does는 일반동사의 의문문 형태에서 주어(he)가 3인칭 단수이기 때문에 쓰인 조동사이므로 '하다'란 뜻의 본동사를 빼놓지 말고 사용해야 합니다.

Unit 34

5형식

주어, 동사, 목적어, 보어의 4요소가 영문을 구성하며 문장의 4요소 중에서도 특히 동사가 가장 중요하게 여겨지고 있습니다. 동사의 종류에 따라서 문장은 5가지의 문형으로 분류되는데 이를 문장의 5형식이라고 합니다.

1. 1형식 (주어 + 동사)

You win. 당신이 이겼어요.

위 문장은 모두 주어와 동사만으로 이루어진 문장입니다. 우리말의 '~은 / 는'에 해당되는 부분이 주어이고, '~이다 / 하다'에 해당되는 부분이 동사입니다. 1형식은 문장의 가장 핵심이 되는 주어와 동사만으로 이루어진 문장을 말합니다.

2. 2형식 (주어 + 동사 + 보어)

She is beautiful. 그녀는 아름답습니다.

위 문장에서 뒤에 나온 형용사(beautiful, kind, yellow)는 앞에 나온 주어의 상태를 설명해 주고 있습니다. 이러한 형용사는 문장에서 '보어'로 쓰여 문장의 뜻을 보충해 줍니다.

1형식 문장의 일반동사와는 달리 2형식 문장의 동사는 혼자서는 문장을 완성할 수 없어서 동사를 보충해 주는 보어가 필요합니다.

3. 3형식 (주어 + 동사 + 목적어)

I read books. 나는 책을 읽습니다.

위 문장에서 '~을 / 를'에 해당하는 부분을 목적어라고 합니다. 목적어란 동작의 대상이 되는 말로 주어와 동사로 이루어진 I read(나는 읽는다) 다음에 I read books.(나는 책을 읽는다.)처럼 무엇을 읽는지 그 목적 대상이 있어야 문장이 완성됩니다.

4. 4형식(주어 + 동사 + 간접목적어 + 직접목적어)

I gave you an apple. 나는 당신에게 사과를 주었습니다.

4형식 문장에는 3형식 문장 주어, 동사, 목적어 외에 you, us, me에 해당하는 간접목적어가 더 있습니다. 이러한 간접목적어는 동작을 받는 대상으로 간접목적어는 직접목적어 앞에 놓입니다.

5. 5형식(주어 + 동사 + 목적어 + 보어)

He makes me happy. 그는 나를 행복하게 합니다.

위 문장에서 'He makes me'를 보면 3형식 문장처럼 〈주어 + 동사 + 보어〉로 되어 있습니다. 하지만 '그는 나를 만든다.'라는 불완전한 문장이 되어 그가 나를 어떻게 만들었는지 설명해 줄 단어가 필요합니다. 즉 happy가 me의 상태를 설명해 주는 단어입니다. 이와 같이 목적어의 상태를 설명해 주는 단어를 목적보어라고 하며, 이런 문장의 형태를 5형식이라고 합니다.

Pattern 1 1형식 : 주어 + 동사

…은 ~합니다

주어와 동사만으로 의미가 통하는 문형을 1형식이라고 합니다.

- You bet. 틀림없어요.
  유 벳트
- That depends. 그것은 때와 경우에 따릅니다.
  댓 디펜즈
- My eyes hurt. 눈이 아픕니다.
  마이 아이즈 허ㄹ트

Words ++

depend(s) [dipénd] *v.* ~에 따르다　　**hurt** [həːrt] *v.* 아프다

Pattern 2 2형식 : 주어 + 동사 + 보어

…은 ~입니다

주어와 동사만으로는 의미가 통하지 않으므로 의미를 보충하는 보어가 필요한 문장을 2형식이라고 합니다.

- I feel depressed. 우울한 기분입니다.
  아이 필 디프레스드
- She looks young. 그녀는 젊어 보입니다.
  쉬 룩스 영
- That sounds interesting. 그건 재미있을 것 같군요.
  댓 사운즈 인터레스팅

Words ++

depressed [diprést] *a.* 우울한

Pattern 3

3형식 : 주어 + 동사 + 목적어

…은 -를 ~합니다

동사의 뒤에 동작을 받는 목적어가 오는 문형으로 목적어는 '~을[를]' 또는 '~에게'에 해당하는 말입니다.

- I appreciate your help. 도움에 감사합니다.
  아이 어프리시에잇 유어ㄹ 헬프
- He wears glasses. 그는 안경을 끼고 있습니다.
  히 웨어ㄹ즈 글래시즈

Words ++

appreciate [əpríːʃièit] *v.* ~에 감사하다

Pattern 4

4형식 : 주어 + 보어 + 간접목적어 + 직접목적어

…은 ~에게 -를 ~합니다

보통 간접목적어는 '~에게'에 해당하는 말로 '사람'을 나타내고, 직접목적어는 '~을[를]에 해당하는 말로 '사물 · 일'을 나타냅니다.

- I draw you a map. 당신에게 약도를 그려 드리겠습니다.
  아이 드러 유 어 맵
- She made me a birthday cake. 그녀는 나에게 생일 케이크를 만들어 주었습니다.
  쉬 메이드 미 어 버ㄹ스데이 케이크

Pattern 5

5형식 : 주어 + 동사 + 목적어 + 보어

…은 -를 …로[이라고) ~합니다

목적어가 어떤 이름 또는 지위인지를 목적어 뒤에 오는 보어가 설명하고 있습니다.

- My friends call me Nick. 친구들은 나를 닉이라고 부릅니다.
  마이 프렌즈 콜 미 닉
- We chose her chairperson. 우리는 그녀를 의장으로 선출했습니다.
  위 초우즈 허ㄹ 체어ㄹ퍼ㄹ슨

Words ++

chairperson [tʃέərpə̀ːrsn] *n.* 의장

Real Talk

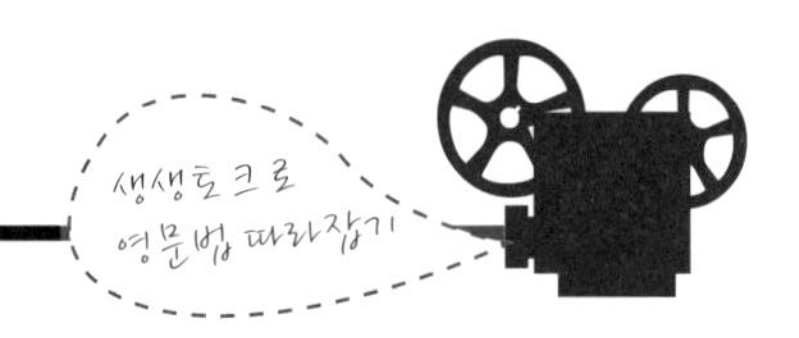

Mira gives Roger a buchae.
미라 기브즈 로저ㄹ 어 부채

R : What's this, Mira?
왓츠 디스 미라

M : It's a buchae.
잇츠 어 부채

It's a kind of fan.
잇츠 어 카인드 어브 팬

R : What's this character on it?
왓츠 디스 캐릭터ㄹ 온 잇

M : It's the character of the 'sun', which means fan.
잇츠 더 캐릭터ㄹ 어브 더 선 위치 민즈 팬

R : It's nice and cool.
잇츠 나이스 앤 쿨

M : I'll give it to you.
아일 기브 잇 투 유

R : Thanks a lot. It'll be a memento of the festival.
땡스 어 랏 잇일 비 어 메멘토 어브 더 페스티벌

Words ++

fan [fæn] *n.* 부채
character [kǽriktər] *n.* 문자
memento [miméntо] *n.* 추억거리, 기념품

미라는 로저에게 부채를 준다.

R : 이게 뭐죠, 미라?

M : 부채에요.

팬의 일종이죠.

R : 부채에 그려져 있는 이 글자는 뭐죠?

M : '선'이라는 글자로 부채라는 의미에요.

R : 매우 시원하고 좋네요.

M : 당신에게 그걸 드릴게요.

R : 고마워요. 축제의 추억이 될 거에요.

동사의 종류

① **자동사** : 스스로 홀로 쓰일 수 있어 목적어가 필요하지 않은 동사

· **완전자동사** : 보어를 필요로 하지 않는 동사로 1형식 문형을 만듭니다.

· **불완전자동사** : 보어를 필요로 하는 동사로 2형식 문형을 만듭니다.

② **타동사** : 스스로 홀로 쓰일 수 없어서 목적어가 필요한 동사

· **완전타동사** : 목적보어를 필요로 하지 않는 동사로 3형식 문형을 만듭니다.

· **불완전타동사** : 목적보어를 필요로 하는 동사로 5형식 문형을 만듭니다.

③ **수여동사** : '주는 동사'라는 뜻으로 '~에게 …을 해주다'라는 의미를 지닌 모든 동사가 여기에 속합니다. 간접목적어와 직접목적어 두 개의 목적어를 필요로 하는 동사로 4형식 문형을 만듭니다.

Unit 35

What ~! / How ~!

아, ~이다!

1. 감탄문

'아, ~이다!'라는 기쁨 · 슬픔 · 놀람 등의 감정을 나타내는 감탄문은 What ~! 또는 How ~!를 써서 나타냅니다.

What a friendly person she is! 그녀는 친절하군요!
How lucky I am! 나는 운이 좋아요!

감탄문은 기쁨 · 슬픔 · 놀람 등을 나타내는 문장이므로 감정을 담은 자연스런 어법을 익히기 위해서는 반복 연습이 필요합니다.

2. what으로 시작하는 감탄문

〈What + (a / an) + 형용사 + 명사!〉는 '얼마나 ~한 …인가!'의 뜻으로 이때 명사가 복수형일 때는 부정관사가 필요하지 않습니다.

What a beautiful flower! 정말 예쁜 꽃이네요!

〈What + a / an + 형용사 + 명사 + 주어 + 동사!〉는 '주어는 얼마나 ~한 …인가!〉의 뜻으로 감탄문에 주어와 동사가 붙은 형태입니다.

What a fast driver he is! 그는 운전을 정말 빨리 해요!

3. how로 시작하는 감탄문

〈How + 형용사 / 부사!〉는 '얼마나 ~한가!'의 뜻입니다.

How kind! 얼마나 친절한가!

〈How + 형용사 / 부사 + 주어 + 동사!〉는 '주어는 얼마나 ~인가[한가]!'의 뜻으로 형용사는 주어의 모양이나 상태를, 부사는 주어의 동작을 서술합니다.

How foolish you are! 당신은 너무 어리석어요!

Pattern 1

What a + 명사!

아, ~이다!

강한 감정을 나타낼 때 감탄문을 쓰며 느낌표로 끝맺습니다. 감탄문은 감정을 표현하는 것이기 때문에 일반 문장에서 꼭 필요한 주어와 동사를 생략해도 의미가 통합니다.

- **What a** surprise! 놀랐어!
  와러 서ㄹ프라이즈
- **What** a coincidence! 우연의 일치야!
  와러 코인시던스

Words ++

coincidence [kouínsədəns] *n.* (우연의) 일치

Pattern

What (a[an]) + 형용사 + 명사 (+ 주어 + 동사)!

what으로 시작하는 감탄문은 〈What (+ a / an) + 형용사 + 명사 (+ 주어 + 동사)!〉의 형태로 나타냅니다. excellent와 같이 모음으로 시작하는 형용사인 경우에는 an을 씁니다. 형용사 뒤의 명사가 복수형 또는 셀 수 없는 명사면 a나 an을 붙이지 않습니다.

- **What** an excellent idea! 훌륭한 생각이다!
  와런 엑설런트 아이디어

- **What** tough questions! 어려운 질문이에요!
  왓 터프 퀘스천스

- **What** cool water! 시원한 물이다!
  왓 쿨 워러ㄹ

- **What** a friendly person she is! 정말 친절한 여자에요!
  와러 프렌들리 퍼ㄹ슨 쉬 이즈

- **What** an instructive book this is! 정말 유익한 책이에요!
  와런 인스트럭티브 북 디스 이즈

Words ++

tough [tʌf] *a.* 어려운 **instructive** [instrʌ́ktiv] *a.* 유익한

Pattern 3

How + 형용사!

아, ~하다!

문장 끝의 주어와 동사가 생략되어 쓰이기도 합니다.

- **How** thoughtful! 사려 깊군요!
  하우 쏘우트풀

- **How** delicious! 맛있어요!
  하우 딜리셔스

- **How** generous! 관대하군요!
  하우 제너러스

- **How** awful! 끔찍해요!
  하우 어우풀

- **How** boring! 지루해요!
  하우 보어ㄹ링

Words ++

awful [ɔ́:fəl] *a.* 지독한, 심한

Pattern 4

How + 형용사[부사] + 주어 + 동사!

아, ~하다!

how로 시작하는 감탄문은 〈How + 형용사 / 부사 + 주어 + 동사!〉의 형태로 나타냅니다.

- **How** lucky I am! 난 운이 좋아요!
  하우 럭키 아이 앰
- **How** smart you are! 당신 머리 좋군요!
  하우 스마르트 유 아르
- **How** happy she looks! 그녀는 행복한 것 같아요!
  하우 해피 쉬 룩스
- **How** well he can ski! 그는 스키를 아주 잘 타는군요!
  하우 웰 히 캔 스키

Real Talk

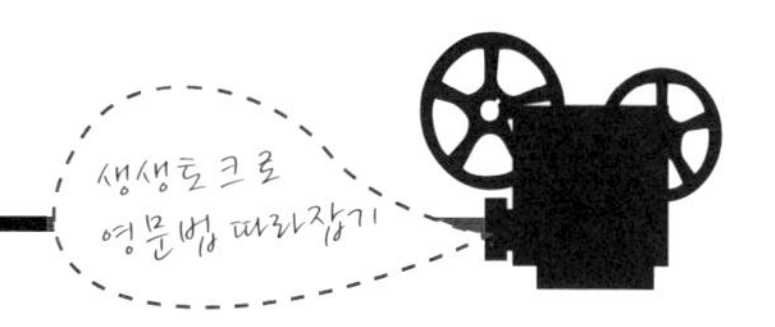

Mira and Lily are going to see a fireworks display.
미라 앤 릴리 아ㄹ 고우잉 투 씨 어 파이어ㄹ웍스 디스플레이

L : What a crowd!
와러 크라우드

M : Yeah, and all of them are going to see the fireworks.
예 앤 올 어브 뎀 아ㄹ 고우잉 투 씨 더 파이어ㄹ웍스

Here we are at the river!
히어ㄹ 위 아ㄹ 앳 더 리버ㄹ

L : What beautiful fireworks!
왓 뷰리풀 파이어ㄹ웍스

(After an hour.)
애프터ㄹ 언 아우어ㄹ

M : The special fireworks have begun, Lily.
더 스페셜 파이어ㄹ웍스 해브 비건 릴리

L : Oh, it's a mountain.
오우 잇츠 어 마운튼

M : Mt. Baekdu.
마운트 백두

L : How gorgeous it is!
하우 고ㄹ져스 잇 이즈

Words ++

fireworks [faiərwə̀ːrks] *n.* 〈복수형으로〉 불꽃놀이　**crowd** [kraud] *n.* 군중
gorgeous [gɔ́ːrdʒəs] *a.* 멋진

미라와 릴리는 불꽃놀이를 보러 갔다.

L : 혼잡하군요!

M : 예, 모두 불꽃놀이를 보러 가고 있어요.
강변에 다 왔어요!

L : 아름다운 불꽃이군요!
(1시간 뒤)

M : 릴리, 특별 불꽃놀이가 시작됐어요.

L : 와, 산이에요.

M : 백두산이에요.

L : 불꽃이 정말 멋있군요!

Can I use a computer? / Can I use your computer?

Can I use a computer?라는 문장은 '내가 컴퓨터를 사용할 수 있을까?' 라는 능력의 문제이며, Can I use your computer?의 문장에서는 '내가 당신의 컴퓨터를 사용해도 됩니까?' 라는 허가의 문제입니다. 좀 사용하도록 빌려 달라는 의미가 되는 것이겠지요.

Unit 36

비교

1. 형용사 · 부사의 비교 변화

사물을 비교할 때에는 형용사나 부사의 어형이 '원급 → 비교급 → 최상급'으로 변합니다. 원급이란 원래의 상태를 말하고 비교급은 '더 ~하다'의 의미이며, 최상급은 여러 대상 중에서 '가장 ~하다'의 의미입니다.

① 원급의 어미에 -er(비교급), -est(최상급)를 붙입니다.

short - short**er** - short**est**

② 어미가 e로 끝나는 말은 -r, -st를 붙입니다.

large - larg**er** - larg**est**

③ 어미가 〈단모음 + 자음철자〉인 말은 자음철자를 중복시키고 -er, -est를 붙입니다.

hot - hot**ter** - hot**test**

④ 어미가 〈자음철자 + y〉인 말은 y를 i로 바꾸고 -er, -est를 붙입니다.

early - earl**ier** - earl**iest**

⑤ 철자가 긴 말은 원급 앞에 more, most를 붙입니다.

important - **more** important - **most** important

⑥ 불규칙하게 변화하는 것

good / well	-	better	-	best
bad	-	worse	-	worst
many / much	-	more	-	most
little	-	less	-	least

2. 비교급 수식

'훨씬 ~ / 약간 ~' 등 비교급 앞에서 수식해 주는 말들이 있습니다.

① 훨씬 : even, much, still, far, a lot

② 약간 : a little

This is **much** bigg**er** than that. 이것은 저것보다 훨씬 더 큽니다.

That is **a little** small**er** than this. 저것은 이것보다 약간 더 작습니다.

Pattern 1 as + 원급 + as

…만큼(같은 정도로) ~

어떤 두 가지의 대상을 비교하여 그 상태나 정도가 같을 때 동등비교를 사용합니다. 〈as + 형용사 / 부사 + as〉의 형태로 나타내며 as와 as 사이에는 반드시 원급만 쓴다는 것에 주의합시다.

- Today is **as** hot **as** yesterday. 오늘은 어제만큼 덥습니다.
  투데이 이즈 애즈 핫 애즈 예스터ㄹ데이
- Korea is roughly **as** large **as** California. 한국은 캘리포니아와 대략 같은 크기입니다.
  코리아 이즈 러플리 애즈 라아ㄹ지 애즈 캘리풔ㄹ니아
- Kent works **as** hard **as** Bob. 켄트는 밥만큼 열심히 일합니다.
  켄트 워ㄹ크스 애즈 하ㄹ드 애즈 밥
- May sings **as** well **as** Patty. 메이는 패티만큼 노래를 잘 합니다.
  메이 씽즈 애즈 웰 애즈 패티

Words ++

roughly [rʌ́fli] *ad.* 대략

Pattern 2 비교급 + than …

…보다 ~

대부분의 1음절어와 극히 일부의 2음절어에는 -er, 대부분의 2음절어와 3음절어 이상의 긴 단어에는 more를 붙여 비교급을 만듭니다.

- I've five years old**er than** my brother. 나는 동생보다 5살 많습니다.
  아이브 파이브 이어ㄹ즈 오울더ㄹ 댄 마이 브라더ㄹ

- Ralph is **more** outgoing **than** James. 랄프는 제임스보다 외향적입니다.
  랄프 이즈 모어ㄹ 아웃고우잉 댄 제임스
- This ring is **more** expensive **than** that one. 이 반지는 저 반지보다 비쌉니다.
  디스 링 이즈 모어ㄹ 익스펜시브 댄 댓 원
- You know Mr. Mcdonald **better than** I. 당신은 나보다 맥도날드 씨를 더 잘 알고 있습니다.
  유 노우 미스터ㄹ 맥도널드 베러ㄹ 댄 아이

Words ++

outgoing [áutgòuiŋ] *a.* 외향적인

Pattern 3

the + 최상급

제일 ~

세 가지 또는 그 이상의 물건이나 사람을 비교할 때 최상급을 씁니다. 대개 the를 붙이며, 대부분의 1음절어와 극히 일부의 2음절어에는 -est, 대부분의 2음절어와 3음절어 이상의 긴 단어에는 most를 붙여 최상급을 만듭니다.

'~중에서'라고 할 때에는 in 또는 of를 씁니다. 뒤에 장소나 범위를 나타내는 말이 계속되는 경우는 in을 쓰고 복수를 나타내는 말이 계속되는 경우에는 of를 씁니다.

- This is **the** late**st** smartphone. 이것이 최신 스마트폰입니다.
  디스 이즈 더 레이티스트 스마트포운
- This is **the** short**est** way to the park. 이것이 공원으로 가는 가장 빠른 길입니다.
  디스 이즈 더 쇼ㄹ티스트 웨이 투 더 파ㄹ크
- Dongdaemoon is **the** near**est** station to our company. 동대문은 우리 회사에서 가장 가까운 역입니다.
  동대문 이즈 더 니어ㄹ리스트 스테이션 투 아우어ㄹ 컴퍼니
- Health is **the most** important thing. 건강이 가장 중요합니다.
  헬스 이즈 더 모우스트 임포ㄹ턴트 씽

- She's **the most** famous actress in Korea.
  쉬즈 더 모우스트 페이머스 액트리스 인 코리아
  그녀는 한국에서 가장 유명한 여배우입니다.

- I get up **the** earli**est** in my family.
  아이 게럽 디 어ㄹ리스트 인 마이 패밀리
  나는 가족 중에서 가장 일찍 일어납니다.

- My sister uses the phone **the most** frequently in my family.
  마이 씨스터ㄹ 유시스 더 포운 더 모우스트 프리퀀틀리 인 마이 패밀리
  내 여동생은 가족 중에서 가장 자주 전화를 씁니다.

- Mira speaks Spanish **the best** of the three.
  미라 스픽스 스패니쉬 더 베스트 어브 더 쓰리
  미라는 3명 중에서 스페인어를 가장 잘 합니다.

Words ++

late(st) [leitst] *a.* 최근의

famous [féiməs] *a.* 유명한

frequently [frí:kwəntli] *ad.* 빈번히

health [helθ] *n.* 건강

actress [ǽktris] *n.* 여배우

Real Talk

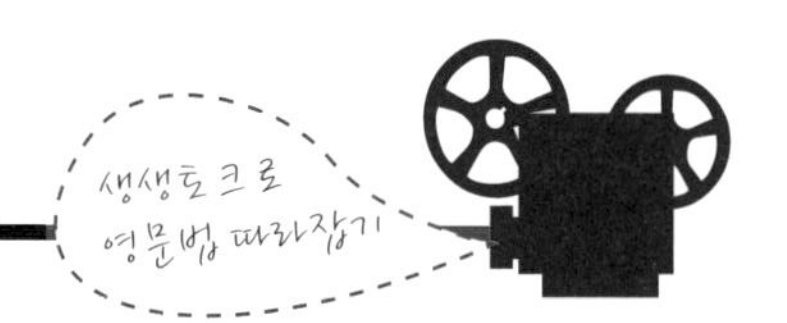

Mira has a cold, but she is busy working in the office.
미라 해즈 어 코울드 벗 쉬 이즈 비지 워ㄹ킹 인 디 오피스

J : You look pale.
유 룩 페일

What's the matter, Mira?
왓츠 더 매러ㄹ 미라

M : I caught cold, so I was in bed all day yesterday.
아이 코우트 코울드 쏘우 아이 워즈 인 베드 올 데이 예스터ㄹ데이

J : That's too bad.
댓츠 투 배드

How do you feel now?
하우 두 유 필 나우

M : I feel much better.
아이 필 머치 베러ㄹ

J : Take care of yourself.
테익 케어ㄹ 어브 유어ㄹ셀프

M : Thanks, Julia.
땡스 줄리아

Words ++

cold [kould] *n.* 감기
much [mʌtʃ] *ad.* 〈비교급과 함께〉 훨씬
pale [peil] *a.* 창백한
take care of ~을 돌보다

미라는 감기에 걸렸는데도 사무실에서 바쁘게 일하고 있다.

(J = Julia)

J : 안색이 안 좋아요.
어디 아파요, 미라?

M : 감기에 걸려서 어제 하루 종일 누워 있었어요.

J : 안됐군요.
지금은 어때요?

M : 훨씬 좋아졌어요.

J : 몸조심하세요.

M : 고마워요, 줄리아.

비교급을 사용할 수 없는 형용사

full 가득 찬
unique 유일한
perfect 완벽한
empty 빈

대부분의 형용사는 비교급을 사용할 수 있습니다. 하지만 위의 형용사들은 이미 최고의 상태를 표현하고 있기 때문에 비교를 할 수 없습니다. 또한 색을 나타내는 형용사도 비교급이든 최상급이든 언제나 같은 색을 나타내기 때문에 비교급이나 최상급을 만들 수 없습니다.

Unit 37

to 동사원형

1. 부정사

부정사란 '정해지지 않은 품사'라는 뜻으로 원래 동사의 성질을 가지고 있지만 동사가 다른 품사의 역할을 할 수 있도록 해줍니다. 부정사에는 동사원형을 그대로 사용하는 원형부정사와 동사원형 앞에 to를 붙여서 사용하는 to부정사가 있습니다.

2. 부정사 만들기

원형부정사는 동사원형을 그대로 쓰면 되고, to부정사는 〈to + 동사원형〉으로 나타냅니다.

3. to부정사의 역할

① 명사 역할

문장에서 주어, 목적어, 보어 역할을 하며 '~하는 것, ~하기'로 표현합니다.

To learn Korean is not easy.
한국어를 배우는 것은 쉽지 않습니다. 〈주어〉

I want **to see** you.
나는 당신을 보길 원합니다. 〈목적어〉

My hobby is **to collect** coins.
나의 취미는 동전을 수집하는 것입니다. 〈보어〉

② **형용사 역할**

'~하는, ~할'이란 표현으로 앞에 있는 명사나 대명사 뒤에서 수식할 때 사용합니다.

I want to something **to drink.**
나는 뭔가 마실 것을 원합니다.

They have no house **to live** in.
그들은 살 집이 없습니다.

③ **부사 역할**

'~하기 위해서, ~해서, ~하기에'라는 뜻으로 동사, 형용사, 부사를 뒤에서 수식합니다.

She came to Korea **to see** you.
그녀는 당신을 보러 한국에 왔어요. 〈목적〉

I am sad **to leave** this town.
나는 이 동네를 떠나게 되어 슬픕니다. 〈원인 · 이유〉

It is cold enough **to snow**.
날씨가 추워서 눈이 올만 합니다. 〈결과〉

You will be punished **to do** it again.
또 다시 그런 일을 하면 당신은 벌을 받게 될 거예요. 〈조건〉

Pattern 1 동사(want) + to 동사원형

~하고 싶습니다

want, hope, promise, mean, hesitate 등의 동사에 다른 동사가 계속되는 경우는 뒤에 to를 붙이고 〈동사(want, hope, promise, mean, hesitate) + to + 동사원형〉의 형태로 합니다.

- I want **to improve** my English.
  아이 원 투 임프루브 마이 잉글리시
  나는 영어를 잘하고 싶습니다.
- I want **to reconfirm** my reservation for the flight.
  아이 원 투 리컨펌 마이 레저ㄹ베이션 풔ㄹ 더 플라잇ㅌ
  비행기 예약 재확인을 하고 싶습니다.
- I want **to change** some Korean won into dollars.
  아이 원 투 체인지 썸 코리안 원 인투 달러ㄹ즈
  한국 원을 달러로 바꾸고 싶습니다.
- I want **to get** a driver's license.
  아이 원 투 게러 드라이버ㄹ즈 라이선스
  나는 자동차 면허를 취득하고 싶습니다.
- I hope **to hear** from you soon.
  아이 홉 투 히어ㄹ 프럼 유 순
  곧 당신에게서 소식이 있기를 바랍니다.
- She promised **to be** here by five.
  쉬 프라미스드 투 비 히어ㄹ 바이 파이브
  그녀는 5시까지 여기에 온다고 약속했습니다.
- I didn't mean **to hurt** your feelings.
  아이 디든ㅌ 민 투 허ㄹ트 유어ㄹ 필링즈
  당신의 기분을 상하게 할 생각은 아니었습니다.
- Don't hesitate **to ask** me any questions.
  돈ㅌ 헤지테잇ㅌ 투 애스크 미 애니 퀘스천스
  어떤 질문이라도 망설이지 마세요.

Words ++

improve [imprúːv] *v.* ~을 개선하다
hear from ~에게서 소식을 듣다
reconfirm [rìːkənfə́ːrm] *v.* ~을 재확인하다
hesitate [hézətèit] *v.* ~을 망설이다

Pattern 2 명사[대명사] + to 동사원형

~하는 …[~해야 할 …]

〈to + 동사원형〉에는 something to eat(먹을 것)처럼 앞에 있는 명사나 대명사를 뒤에서 수식하는 역할이 있습니다.

- I have lots of things **to do.** 나는 해야 할 일이 많습니다.
  아이 해브 랏츠 어브 씽즈 투 두
- There's nothing **to worry** about. 아무 것도 걱정할 것 없습니다.
  데어ㄹ즈 낫씽 투 워리 어바웃ㅌ
- He is buying a magazine **to read** on the train. 그는 열차에서 읽을 잡지를 사고 있다.
  히 이즈 바잉 어 매거진 투 리드 온 더 트레인
- She needs an evening dress **to wear** to the party. 그녀는 파티에 입고 갈 이브닝드레스가 필요하다.
  쉬 니즈 언 이브닝 드레스 투 웨어ㄹ 투 더 파ㄹ티
- Do you have anything **to declare**? 신고할 것이 있습니까?
  두 유 해브 애니씽 투 디클레어ㄹ

  No, I have nothing **to declare**. 아니오, 신고할 것이 없습니다.
  노우 아이 해브 낫씽 투 디클레어ㄹ
- Do you have anything **to write** with? 무슨 쓸 것이 있습니까?
  두 유 해브 애니씽 투 롸잇ㅌ 위드

  Yes. Here's a pencil. 예, 연필이 있어요.
  예스 히어ㄹ즈 어 펜슬
- Would you like something **to drink**? 마실 것 좀 드시겠어요?
  우쥬 라익 썸씽 투 드링크

  Yes, tea, please. 예, 홍차 주세요.
  예스 티 플리즈

Words ++

nothing [nʌ́θiŋ] *ad.* 아무것도 ~않다 **declare** [diklέər] *v.* 〈세관에서〉 ~을 신고하다

Pattern 3

to 동사원형

~하기 위하여

동작의 목적을 나타냅니다.

- I'll go to the post office **to mail** letter. 편지를 부치러 우체국에 갈 겁니다.
  아일 고우 투 더 포스트 오피스 투 메일 레러ㄹ
- I jog **to keep** fit. 나는 건강을 유지하기 위해 조깅을 합니다.
  아이 조그 투 킵 핏ㅌ
- He went to the hospital **to get** a checkup. 그는 건강진단을 받으러 병원에 갔습니다.
  히 웬트 투 더 하스피틀 투 겟 어 체컵

Words ++

fit [fit] *a.* 건강한 **checkup** [tʃekʌ̀p] *n.* 건강진단

Pattern 4

형용사 + to 동사원형

숙어로 be glad to(~해서 기쁘다), be sorry to(~해서 미안합니다), be sure to(틀림없이 ~하다), be ready to(언제라도 ~할 수 있다) 등이 있습니다.

- I'm glad **to hear** that. 그것을 들어서 기쁩니다.
  아임 글래드 투 히어ㄹ 댓
- I'm sorry **to trouble** you. 폐를 끼쳐서 죄송합니다.
  아임 쏘리 투 트러블 유

- She's sure **to come**. 그녀는 꼭 옵니다.
  쉬즈 슈어ㄹ 투 컴

- We're ready **to go**. 우리는 언제라도 외출할 수 있습니다.
  위아ㄹ 레디 투 고우

Pattern 5 It + be동사 + 형용사 + (for + 사람) + to + 동사원형 ~.

it은 형식주어라고 부르고 우리말로 번역하지 않습니다. 진짜 주어는 to 이하로 '~하는 것은'이라는 의미를 나타냅니다.

- **It's** difficult **to** pronounce this word. 이 단어를 발음하는 것은 어렵습니다.
  잇츠 디피컬트 투 프러나운스 디스 워ㄹ드

- **It's** hard **to** find a parking lot around here. 이 근처에서 주차장을 발견하는 것은 어렵습니다.
  잇츠 하ㄹ드 투 파인드 어 파ㄹ킹 랏 어라운드 히어ㄹ

- **It's** natural for him **to** get angry. 그가 화내는 것은 당연합니다.
  잇츠 내추럴 풔ㄹ 힘 투 겟 앵그리

- **It's** important for us **to** discuss this matter. 우리가 이 건에 관하여 토의하는 것은 중요합니다.
  잇츠 임포ㄹ턴트 풔ㄹ 어스 투 디스커스 디스 매러ㄹ

Words ++

natural [nǽtʃərəl] *a.* 당연한

Pattern 6

It + be동사 + 형용사 + of + 사람 + to 동사원형 ~.

be동사 뒤에 형용사가 nice(친절한) 또는 careless(부주의한) 등 사람의 성질을 나타내는 경우에는 of를 씁니다.

- **It was** nice **of** you **to** invite me.
  잇 워즈 나이스 어브 유 투 인바잇 미
  초대해 주셔서 감사했습니다.

- **It was** careless **of** me **to** leave the door unlocked.
  잇 워즈 케어ㄹ리스 어브 미 투 리브 더 도어ㄹ 언락트
  부주의해서 문을 잠그지 않았습니다.

Words ++

invite [inváit] *v.* ~을 초대하다

Real Talk

The Johnsons visit Korea. Mira goes to the airport to meet them.
더 존슨스 비짓 코리아 미라 고우즈 투 디 에어ㄹ포ㄹ트 투 밋 뎀

Jr : Hi, Mira!
하이 미라

M : Hi! Welcome to Korea.
하이 웰컴 투 코리아

Js : Thank you. It's great to be here.
땡큐 잇츠 그레잇 투 비 히어ㄹ

M : How have you been?
하우 해뷰 빈

S : We've been fine.
위브 빈 파인

And you?
앤 유

M : Pretty good.
프리티 굿

W : We're really glad to see you again.
위아ㄹ 리얼리 글래드 투 씨 유 어겐

M : I'm very glad to see you again, too.
아임 베리 글래드 투 씨 유 어겐 투

Words ++

welcome [wélkəm] *int.* 어서 오세요

존슨 가족이 한국을 방문했다. 미라가 그들을 마중하러 공항에 간다.

Jr : 안녕하세요.

M : 안녕하세요. 한국에 오신 걸 환영합니다.

Js : 고마워요. 여기에 오게 되어서 아주 기뻐요.

M : 모두 잘 지냈어요?

S : 잘 지냈어요.
당신은요?

M : 잘 지냈어요.

W : 미라를 다시 만나서 정말 기뻐요.

M : 저도 모두를 다시 만나게 되어 정말 기뻐요.

의문사 + to ~

〈의문사 + to 동사원형〉은 다음과 같은 의미를 나타냅니다.

- what to ~ 무엇을 ~하면 좋습니까?
- which to ~ 어느 것을 ~하면 좋습니까?
- when to ~ 언제 ~하면 좋습니까?
- where to ~ 어디로 ~하면 좋습니까?
- how to ~ ~하는 법

I don't know **what to** do.
나는 무얼 하면 좋을지 모르겠습니다.

She couldn't decide **which to** buy.
그녀는 어느 것을 사면 좋을지 결정할 수 없었습니다.

He showed me **how to** use the computer.
그는 나에게 컴퓨터 사용법을 가르쳐 주었습니다.

Unit 38

동사원형 -ing ~하는 것

1. 동명사

동명사란 말 그대로 동사가 명사의 역할을 하는 것으로 동사원형에 -ing를 붙여 명사의 자격을 주는 것입니다. 동명사는 동사의 성질과 명사의 성질을 둘 다 가지고 있으며 '~하는 것, ~하기'의 뜻으로 표현합니다.

2. 동명사의 역할

① 주어 역할

Seeing is believing. 보는 것이 믿는 것이다.

② 목적어 역할

I like **playing** tennis. 나는 테니스 치는 것을 좋아합니다.

③ 보어 역할

Her hobby is **making** dolls. 그녀의 취미는 인형을 만드는 것입니다.

④ 전치사의 목적어

전치사는 명사와 항상 같이 쓰이는데 명사의 역할을 하는 동명사도 역시 전치사와 같이 쓰여 전치사의 목적어가 될 수 있습니다.

Thank you for **inviting** me. 초대해 줘서 고마워요.

3. 동명사의 관용적 표현

- **go -ing : ~하러 가다**

I **went** shopp**ing** with my mother. 나는 엄마와 쇼핑하러 갔습니다.

- **feel like -ing : ~하고 싶다**

I don't **feel like** eat**ing** right now. 지금은 먹고 싶지 않아요.

- **be good at -ing : ~을 잘하다**

Henry **is good at** play**ing** tennis. 헨리는 테니스를 잘 칩니다.

- **be busy -ing : ~하느라 바쁘다**

She **is busy** wash**ing** her car. 그녀는 세차하느라 바쁩니다.

- **How about -ing? : ~하는 게 어때?**

How about go**ing** out for lunch? 점심 먹으러 나가는 게 어때요?

Pattern 1 동사원형 -ing
~하는 것

동명사인 주어가 한 단어이면 그대로 써 주지만 구처럼 길 때는 가주어 it을 사용합니다.

- Travell**ing** abroad is a lot of fun. 해외여행을 하는 것은 매우 재미있습니다.
  트래블링 업로우드 이즈 어 랏 어브 펀
- Gett**ing** enough exercise is sometimes difficult for office workers. 충분한 운동을 하는 것은 회사원에게 어려울 때가 있습니다.
  게링 이너프 엑서ㄹ사이즈 이즈 썸타임즈 디피컬트 풔ㄹ 오피스 워ㄹ커ㄹ스
- Tak**ing** a bath refreshes me. 목욕을 하는 것은 피로를 씻어줍니다.
  테이킹 어 배스 리프레쉬즈 미

Pattern 2 enjoy, finish, postpone, mind + 동사원형 -ing

enjoy, finish, postpone, mind, quit, give up, deny, put off, avoid, consider, practice 등의 뒤에 동사가 계속되면 그 동사는 -ing가 붙습니다.

- I really **enjoyed** talk**ing** with you. 당신과 얘기해서 정말 기뻤습니다.
  아이 리얼리 인조잉 토킹 위드 유
- I **finished** eat**ing** breakfast. 나는 아침을 다 먹었습니다.
  아이 피니쉬드 이링 블랙풔스트
- We **postponed** leav**ing** until the day after tomorrow. 우리는 모레로 출발을 연기했습니다.
  위 포스트포운드 리빙 언틸 더 데이 애프터ㄹ 투마로우

- Would you **mind** clos**ing** the door? 문을 닫아도 되겠어요?
  우쥬 마인드 클로우징 더 도어ㄹ

  No, not at all. 예, 좋아요.
  노우 나래롤

Words ++

postpone(d) [poustpóun(d)] *v.* ~을 연기하다 **mind** [maind] *v.* ~을 염두에 두다, 신경 쓰다

Pattern 3 전치사 + 동사원형 -ing

for, to, at, of, about 등 전치사 뒤에 동사가 오면 그 동사는 -ing형이 됩니다.

- Thank you **for** com**ing.** 와 주셔서 감사합니다.
  땡큐 풔ㄹ 커밍
- Thank you **for** say**ing** that. 그렇게 말해 주셔서 감사합니다.
  땡큐 풔ㄹ 쎄잉 댓
- Thank you **for** call**ing.** 전화 감사했습니다.
  땡큐 풔ㄹ 콜링
- Thank you **for** giv**ing** me such useful advice. 이렇게 유익한 충고를 해주셔서 감사했습니다.
  땡큐 풔ㄹ 기빙 미 서치 유즈플 어드바이스
- I'm looking forward **to** see**ing** you. 당신을 만나길 기대하고 있습니다.
  아임 루킹 풔ㄹ워ㄹ드 투 씨잉 유
- She's thinking **of** study**ing** abroad. 그녀는 유학을 생각하고 있습니다.
  쉬즈 씽킹 어브 스터딩 업로우드
- Don't be afraid **of** mak**ing** mistakes. 실패하는 것을 두려워 마세요.
  돈ㅌ 비 어프레이드 어브 메이킹 미스테익스
- How **about** watch**ing** boxing on TV? TV에서 권투 보는 것 어때요?
  하우 어바웃 워칭 박싱 온 티비

  Yeah, that sounds interesting. 예, 재미있을 것 같군요.
  예 댓 사운즈 인터레스팅

useful [júːsfəl] *a.* 유익한

advice [ædváis] *n.* 조언, 충고

동명사와 부정사의 비교

① 동명사와 부정사를 둘 다 목적어로 하는 동사

start, begin, like, love 등

It has **started** rain**ing**. = It has **started to** rain. 비가 오기 시작했다.

② 동명사만을 목적어로 취하는 동사

enjoy, finish, mind, stop, give up 등

Would you **mind** play**ing** the guitar? 기타를 쳐 주시겠습니까?

Have you **finished** writ**ing** a letter? 편지를 다 썼습니까?

③ 부정사만을 목적어로 취하는 동사

decide, want, wish, hope 등

I **want to** go there. 나는 거기에 가고 싶습니다.

I **hope to** see you again. 나는 다시 당신을 보기를 희망합니다.

Real Talk

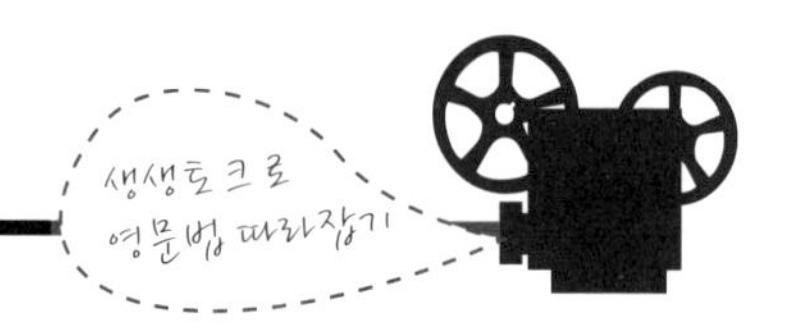

Mira and the Johnsons just arrived at the Korean Folk Village.
미라 앤 더 존슨스 저스트 어라이브드 앳 더 코리안 포크 빌리지

M : Here we are at the Korean Folk Village.
히어ㄹ 위 아ㄹ 앳 더 코리안 포크 빌리지

Jr : Look! What ceremony is that?
룩 왓 세러머니 이즈 댓

M : It's a traditional Korean wedding ceremony.
잇츠 어 트러디셔늘 코리안 웨딩 세러머니

Showing a wedding ceremony is the biggest event here.
쇼우잉 어 웨딩 세러머니 이즈 더 비기스트 이벤트 히어ㄹ

W : Oh, how beautiful the bride is!
오우 하우 뷰리플 더 브라이드 이즈

Js : It sure is. The bride and bridegroom are bowing to each other now.
잇 슈어ㄹ 이즈 더 브라이드 앤 브라이드그룸 아ㄹ 바우잉 투 이치 아더ㄹ 나우

M : The procedure of the ceremony includes bowing to each other. After that, they'll sip ceremonial wine.
더 프러시저ㄹ 어브 더 세러머니 인클루즈 바우잉 투 이치 아더ㄹ 애프터ㄹ 댓 데이일 십 세러머니얼 와인

Js : Mira, how about getting married this way?
미라 하우 어바웃 게링 메리드 디스 웨이

M : I hope so if possible.
아이 홉 쏘우 이프 파서블

Words ++

folk [fouk] *a.* 민속의
village [vílidʒ] *n.* 마을
traditional [trədíʃənəl] *a.* 전통적인
ceremony [sérəmòuni] *n.* 의식
bride [braid] *n.* 신부
bridegroom [bráidgrù(:)m] *n.* 신랑

bow(**ing**) [bou] *v.* 절하다
include(**s**) [inklúːd] *v.* 포함하다
ceremonial [sèrəmóuniəl] *a.* 의식의
get(**ting**) **married** 결혼하다
procedure [prəsíːdʒər] *n.* 절차
sip [sip] *v.* 홀짝 마시
how about ~은 어때요?

미라와 존슨 가족은 방금 민속촌에 도착했다.

M : 이제 민속촌에 다 왔어요.

Jr : 저기 봐요. 저건 무슨 의식이죠?

M : 한국의 전통 결혼식이에요.
결혼식을 보여 주는 것은 이곳에서는 가장 큰 행사에요.

W : 신부가 참 아름다워요!

Js : 그렇구나. 신랑 신부가 맞절을 하고 있어요.

M : 식의 절차에 맞절이 들어 있어요. 그리고 나서는 술을 조금 마실 거예요.

Js : 미라, 이런 식으로 결혼하는 게 어때요?

M : 가능하다면 그러고 싶어요.

mind

mind에는 '걱정하다, 주의하다, 꺼리다' 등의 의미가 있습니다. mind가 '꺼리다, 싫어하다'라는 뜻으로 쓰일 때는 주의할 필요가 있습니다. Do you mind if I open the window?(제가 창문을 열어도 될까요?)라고 물었을 때 '열어도 좋다'라는 의미로 Yes.라고 대답하면 안 됩니다. Do you mind if ~?는 '제가 ~하면 싫으세요?'라는 뜻이기 때문에 싫지 않다면 No. / Not at all. 등과 같이 대답해야 합니다. 그러면 상대방은 안심하며 창문을 열 것입니다. 반대로 열지 말라고 할 때는 Yes, I do.라고 합니다.

Unit 39

be동사 + 과거분사

~당하다

1. 과거분사와 수동태

과거분사는 〈동사원형 + -ed〉의 형태로 쓰이며 수동과 완료의 의미를 나타냅니다. 동사의 어형변화에는 '원형 - 과거형 - 과거분사형'의 세 가지 기본형이 있는데 수동태에는 이 중 과거분사형이 〈be동사 + 과거분사〉 형으로 사용됩니다. 과거분사형을 만드는 방법은 다음과 같습니다.

① 규칙동사인 경우에는 동사의 과거형과 같이 원형의 어미에 -ed를 붙입니다.

원형	과거형	과거분사형
respect	respected	respected

② 불규칙동사

	원형	과거형	과거분사형
AAA형	put	put	put
ABA형	come	came	come
ABB형	hold	held	held
ABC형	write	wrote	written

2. 수동태란

주어의 동작을 받아 '~당하다 / ~하여지다'라는 피동의 의미를 나타낸 문장으로 행위의 대상이 중요하다고 생각되는 상황에서 주로 사용합니다. 수동태는 〈be동사 + p.p.〉형으로 나타냅니다.

The car **was fixed** by Henry. 그 자동차는 헨리에 의해 수리됐습니다.
This building **was built** 10 years ago. 이 빌딩은 10년 전에 지어졌습니다.

3. 평서문을 수동태 만들기

① 능동태의 목적어를 주어로 사용하며 인칭대명사인 경우 주격을 사용합니다.

② 동사를 〈be동사 + 과거분사〉로 하되 이때 be동사는 시제, 인칭, 수에 맞게 사용합니다.

③ 능동태의 주어를 〈by + 목적격〉으로 하여 행위자를 나타냅니다.

She loves me. 그녀는 나를 사랑합니다.
➔ I **was loved** *by* her. 나는 그녀에 의해 사랑받습니다.

Pattern 1 be동사 + 과거분사

'~당하다'라고 할 경우에는 be동사의 현재형(am, are, is)을 쓰고 '~당했다'라고 할 경우에는 과거형(was, were)을 씁니다. 또한 '~에 의하여'라고 밝힐 필요가 있을 때는 by ~를 씁니다.

- She **is** respect**ed** by everyone. 그녀는 모두에게 존경받고 있습니다.
  쉬 이즈 리스펙티드 바이 에브리원
- Their wedding **was held** at a church in Hawaii. 그들의 결혼식은 하와이에 있는 교회에서 거행되었다.
  데어ㄹ 웨딩 워즈 헬드 앳 어 쳐ㄹ치 인 하와이
- Anne of Green Gables **was written** by Montgomery. '빨강머리 앤'은 몽고메리에 의해 쓰였다.
  앤 어브 그린 게이블즈 워즈 리튼 바이 몽고메리

Words ++

respect(ed) [rispékt] *v.* ~을 존경하다

Montgomery [mɑntgʌ́məri] *n.* 몽고메리(**Lucy Maud ~**) 캐나다의 작가

Pattern 2 be동사 + 과거분사 + (전치사) 〈관용표현〉

관용적인 표현에는 be satisfied with(~에 만족하다), be interested in(~에 흥미가 있다), be pleased with(~여서 기쁘다) 등이 있으며, 이것들은 '~당하다'라고 번역해서는 안 됩니다.

- I**'m** satisfi**ed** with my job. 나는 내 일에 만족합니다.
  아임 새티스파이드 위드 마이 잡
- He**'s** interest**ed** in surfing. 그는 서핑에 흥미가 있습니다.
  히즈 인터레스티드 인 서ㄹ핑
- She**'s** pleas**ed** with her new jacket. 그녀는 새 재킷을 마음에 들어 합니다.
  쉬즈 플리즈드 위드 허ㄹ 뉴 재킷

Pattern 3 be동사 + not + 과거분사 〈수동태 부정문〉

부정어 not은 be동사 바로 뒤에 쓰며, 능동태 주어에 no가 있으면 수동태는 not ~ any로 나누어 씁니다.

- The copy machine **wasn't** fix**ed** properly. 복사기는 잘 수리되지 않았습니다.
  더 카피 머신 워즌ㅌ 픽스드 프라퍼ㄹ리
- My purse **wasn't** found. 내 지갑을 찾지 못했습니다.
  마이 퍼ㄹ스 워즌ㅌ 파운드
- Nobody likes him. → 아무도 그를 좋아하지 않습니다.
  He **is not** lik**ed** by anybody.
  노우바디 라익스 힘 / 히 이즈 낫 라익드 바이 에니바디

Pattern 4 be동사 + 주어 + 과거분사 ~? 〈수동태 의문문〉

〈Yes, 주어 + be동사.〉나 〈No, 주어 + be동사 + not.〉으로 대답합니다.

- **Was** he promot**ed** to sales manager? 그는 판매부장으로 승진됐습니까?
  워즈 히 프로모우티드 투 세일즈 메니저ㄹ

  Yes, he was. 예, 승진됐습니다.
  예스 히 워즈

Was she transfer**red** to the Seattle branch?
워즈 쉬 트랜스풔ㄹ드 투 더 시애틀 브랜치

그녀는 시애틀 지점으로 전근됐습니까?

No, she wasn't.
노우 쉬 워즌ㅌ

아니오, 아닙니다.

transfer(red) [trænsfər] *v.* ~을 전근시키다

Pattern 5 의문사 + be동사 + 주어 + 과거분사 ~?

의문사가 있을 때는 〈의문사 + be동사 + 주어 + 과거분사 ~?〉의 형태로 씁니다.

Where was this car **made**?
웨어ㄹ 워즈 디스 카ㄹ 메이드

이 자동차는 어디서 만들어졌습니까?

It was made in Germany.
잇 워즈 메이드 인 저ㄹ머니

독일에서 만들어졌습니다.

Real Talk

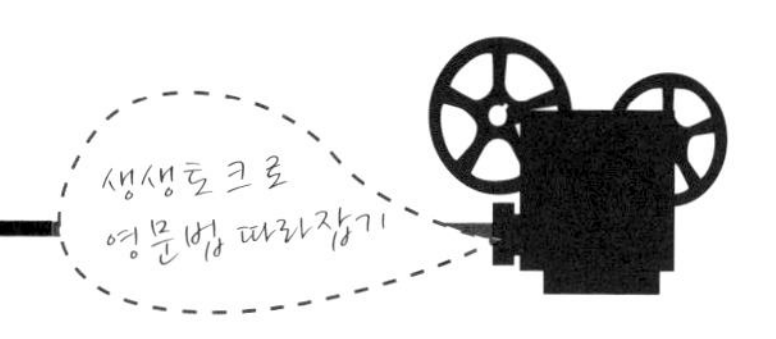

Mira and the Jonsons went a pottery plant in Ichon.
미라 앤 더 존슨스 웬트 어 파터리 플랜트 인 이천

Jr : This is my first time I've seen a pottery plant.
디스 이즈 마이 풔ㄹ스트 타임 아이브 씬 어 파터리 플랜트

W : I was very impressed by the potters delicate skills.
아이 워즈 베리 임프레스드 바이 더 포터ㄹ즈 델리케잇 스킬즈

Js : How superb the pottery was!
하우 수퍼ㄹ브 더 파터리 워즈

M : In fact, they reproduce Koryo celadon and Choson porcelain.
인 팩트 데이 리프러듀스 고려 셀러단 앤 조선 퍼ㄹ설린

S : Really?
리얼리

M : Yeah. Koryo celadon and Choson porcelain are reproduced by the modern potters.
예 코려 셀러던 앤 조선 퍼ㄹ설린 아ㄹ 리프러듀스드 바이 더 모던 포터ㄹ즈

Naturally they are all imitations.
내추럴리 데이 아ㄹ 올 이미테이션스

But they are exported a lot abroad.
벗 데이 아ㄹ 익스포ㄹ티드 어 랏 업로우드

Js : Is that so? I have a few pieces of Korean pottery at home, too.
이즈 댓 쏘우 아이 해브 어 퓨 피시즈 어브 코리안 파터리 앳 호움 투

Words ++

pottery [pátəri] *n.* 도자기류
plant [plænt] *n.* 공장
impress(ed) [imprés(t)] *v.* 깊은 인상을 주다
potter(s) [pátər(z)] *n.* 도공

delicate [délikət] *a.* 섬세한
in fact 사실은
porcelain [pɔ́ːrsəlin] *n.* 자기
naturally [nǽtʃərəli] *ad.* 당연히
export(ed) [ikspɔ́ːrt(id)] *v.* 수출하다
superb [suːpə́ːrb] *a.* 훌륭한
celadon [sélədɑ̀n] *n.* 청자
modern [mádəːrn] *a.* 현대의
imitation(s) [ìmətéiʃən(z)] *n.* 모조품
abroad [əbrɔ́ːd] *ad.* 해외로

미라와 존슨 씨 가족은 이천의 한 도자기 공장에 갔다.

Jr : 도자기 공장에 와 본 것은 이번이 처음이에요.

W : 도공들의 섬세한 기술에 매우 감명을 받았어요.

Js : 도자기들이 얼마나 훌륭하던지!

M : 실은, 고려청자와 조선백자를 재생산하는 거예요.

S : 그래요?

M : 네. 고려청자와 조선백자는 현대의 도공들에 의해 재생산 되지요. 당연히 그것들은 모조품이에요.
하지만 외국으로 많이 수출되고 있어요.

Js : 그래요? 저도 집에 한국 도자기를 몇 점 갖고 있어요.

want와 would like

want와 would like의 뜻은 거의 비슷하지만, would like가 좀 더 정중한 표현입니다. 손윗사람에게 사용한다면 want보다는 would like를 사용하는 것이 더 좋습니다. '나는 당신을 또 만나고 싶다.'라는 말을 표현할 때 I want to see you again.보다는 I would like to see you again.으로 표현하면 됩니다.

Unit 40

현재완료

have / has + 과거분사

1. 완료시제

완료시제는 어느 한 시점에서 다른 시점까지 계속된 동작이나 상태를 나타낼 때 쓰입니다. 〈have + 과거분사〉의 형태로 나타내며 이때 have는 '가지다'의 뜻이 아니라 조동사로 쓰인 것입니다. 완료시제에는 과거완료, 현재완료, 미래완료가 있습니다.

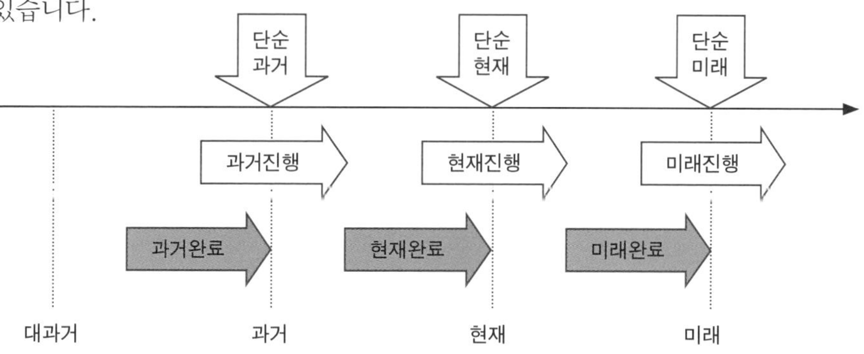

2. 현재완료

과거에 시작된 어떤 동작이나 상태가 현재까지 계속되고 있음을 나타낼 때 현재완료를 씁니다. 현재완료는 〈have / has + 과거분사〉로 나타내며 의미에 따라 완료, 결과, 경험, 계속, 네 가지 용법으로 나뉩니다.

① **완료** : **막 ~하였다**

He **has** already **written** a letter. 그는 벌써 편지를 썼습니다.

② **결과** : **~해버렸다**

She **has gone** to Hawaii. 그녀는 하와이에 갔습니다.

③ **경험** : **~한 적이 있다**

She **has met** him before. 그녀는 그를 전에 만난 적이 있습니다.

④ **계속** : **계속 ~해오고 있다**

I **have studied** Korean since 3 o'clock. 나는 3시부터 한국어 공부를 해왔습니다.

3. have been의 의미

have been to는 '~하러 간 적이 있다' 〈경험〉과 '~하러 다녀왔다' 〈완료〉라는 의미를 나타냅니다.

I **have been** to Egypt. 나는 이집트에 간 적이 있습니다.
I **have been** to the beauty parlor. 나는 미용실에 다녀왔습니다.

have been in에는 '~에 있은 적이 있다' 〈경험〉과 '(계속) ~에 있다' 〈계속〉의 의미가 있습니다.

He **has been** in Sweden before. 그는 전에 스웨덴에 있던 적이 있습니다.
He **has been** in Sweden for 10 years. 그는 스웨덴에서 산지 10년이 되었습니다.

패턴으로 회화감각 익히기

Pattern 1 완료

방금 ~했습니다 / 이미 ~했습니다

완료는 '막 ~했다'란 뜻으로 지금 막 동작이 끝난 상태를 나타내며 just, already 등이 자주 쓰입니다.

- **I've** just talk**ed** to her on the phone. 그녀와 전화로 방금 통화했습니다.
  아이브 저스트 톡트 투 허ㄹ 온 더 포운
- A fax from AAA Company **has** just **come** in. AAA 사에서 방금 팩스가 도착했습니다.
  어 팩스 프럼 에이에이에이 컴퍼니 해즈 저스트 컴 인
- **I've** already **seen** the movie. 나는 그 영화를 이미 보았습니다.
  아이브 얼레디 씬 더 무비

Words ++

I've = I have / He's = He has / She's = She has

already [ɔːlrédi] *ad.* 이미

Pattern 2 결과

~했습니다(그 결과 지금 ~입니다)

'~해 버렸다.'란 뜻으로 어떤 동작이 일어난 결과가 지금도 남아 있다는 것을 나타냅니다.

- He**'s lost** his passport. 그는 여권을 잃어버렸습니다.(→ 지금은 없다.)
  히즈 로스트 히즈 패스포ㄹ트
- She**'s gone** home. 그녀는 퇴근했습니다.(→ 지금은 없다.)
  쉬즈 곤 호움

Pattern 3

경험

~한 적이 있습니다

'~한 적이 있다.'란 뜻으로 현재까지의 경험을 나타냅니다. 경험에는 before, often, ~ times 등이 자주 쓰입니다.

- I**'ve heard** this song before.
  아이브 허ㄹ드 디스 송 비풔ㄹ
  저는 전에 이 노래를 들을 적이 있습니다.
- She**'s been** to Disneyland five times.
  쉬즈 빈 투 디즈니랜드 파이브 타임즈
  그녀는 디즈니랜드에 5번 간 적이 있습니다.
- We**'ve** often visit**ed** the museum.
  위브 오픈 비지티드 더 뮤지엄
  우리는 여러 번 그 미술관에 간 적이 있습니다.

Words ++

museum [mjuːzíːəm] *n.* 미술관

Pattern 4

계속

(계속) ~하고 있습니다

'지금까지 계속 ~해오고 있다'란 뜻으로 과거부터 현재까지 동작이나 상태가 계속되고 있는 것을 나타냅니다. 계속에는 since나 for 등이 자주 쓰입니다.

- **I've been** busy since this morning.
  아이브 빈 비지 신스 디스 모ㄹ닝
  나는 아침부터 계속 바쁩니다.
- He**'s been** on a business trip since Monday.
  히즈 빈 온 어 비즈니스 트립 신스 먼데이
  그는 월요일부터 출장 중입니다.
- **I've had** a cold for a week.
  아이브 해드 어 코울드 풔러 위크
  나는 일주일 동안 계속 감기에 걸려 있습니다.

- We**'ve known** each other for ten years.
  위브 노운 이치 아더ㄹ 풔ㄹ 텐 이어ㄹ즈

  우리는 10년 동안 알고 지내고 있습니다.

Words ++

since [sins] *conj.* ~부터

Pattern 5 haven't[hasn't] + 과거분사 〈현재완료 부정형〉

have[has] 뒤에 not을 붙입니다.

- I **haven't** made up my mind yet.
  아이 해븐ㅌ 메이드 업 마이 마인드 옛

  나는 아직 결정하지 않았습니다.

- The bus **hasn't** come yet.
  더 버스 해즌ㅌ 컴 옛

  버스는 아직 오지 않았습니다.

- I **haven't** seen you for ages.
  아이 해븐ㅌ 씬 유 풔ㄹ 에이지스

  오래간만입니다.

Words ++

haven't = have not / hasn't = has not

yet [jet] *ad.* 아직

Pattern 6 Have[Has] + 주어 + 과거분사 ~? 〈현재완료 의문문〉

이 의문문에는 보통 〈Yes, 주어 + have[has].〉나 〈No, 주어 + haven’t[hasn’t].〉로 대답합니다.

- **Have** you **heard** from Albert recently? 최근 앨버트에게서 소식 있었습니까?
  해뷰 허ㄹ드 프럼 알버ㄹ트 리슨틀리

  No, I haven't. 아니오, 없었습니다.
  노우 아이 해븐ㅌ

- **Have** you ever **eaten** Korean food? 전에 한국요리를 먹어본 적이 있습니까?
  해뷰 에버ㄹ 이튼 코리안 푸드

  Yes, I have. 예, 있습니다.
  예스 아이 해브

- **Have** you ever **been** to Busan? 전에 부산에 가본 적이 있습니까?
  해뷰 에버ㄹ 빈 투 부산

  No, I haven't. 아니오, 없습니다.
  노우 아이 해븐ㅌ

Pattern 7 의문사 + have[has] + 주어 + 과거분사 ~?

의문사가 있을 때는 〈의문사 + have[has] + 주어 + 과거분사 ~?〉의 형태로 나타냅니다.

- **Where have** you **been**? 어디에 갔다 왔습니까?
  웨어ㄹ 해뷰 빈

  I've been to the dry cleaner's. 세탁소에 다녀왔습니다.
  아이브 빈 투 더 드라이 클리너ㄹ즈

- **How have** you **been**? 건강하셨습니까?
  하우 해뷰 빈

  Fine, thank you. 덕분에 건강했습니다.
  파인 땡큐

- **How** long **have** you **been** here? 여기에 온지 얼마나 됐습니까?
  하우 롱 해뷰 빈 히어ㄹ

  For three months. 3개월 됐습니다.
  풔ㄹ 쓰리 먼스

- **How** long **have** you **been** married? 결혼한 지 얼마나 됐습니까?
  하우 롱 해뷰 빈 매리드

  For two years. 2년 됐습니다.
  풔ㄹ 투 이어ㄹ즈

- **How** many pages **have** you **read**? 몇 페이지 읽었습니까?
  하우 매니 페이지스 해뷰 레드

  I've read 180 pages. 180페이지 읽었습니다.
  아이브 레드 원 헌드레드 에이티 페이지스

- **Which** countries **has** he visit**ed**? 그는 어느 나라를 방문했습니까?
  위치 컨트리즈 해즈 히 비지티드

  China, India and Nepal. 중국과 인도와 네팔입니다.
  차이나 인디아 앤 네팔

Words ++

China [tʃáinnə] *n.* 중국
India [índiə] *n.* 인도
Nepal [nipɔ́:l] *n.* 네팔

Real Talk

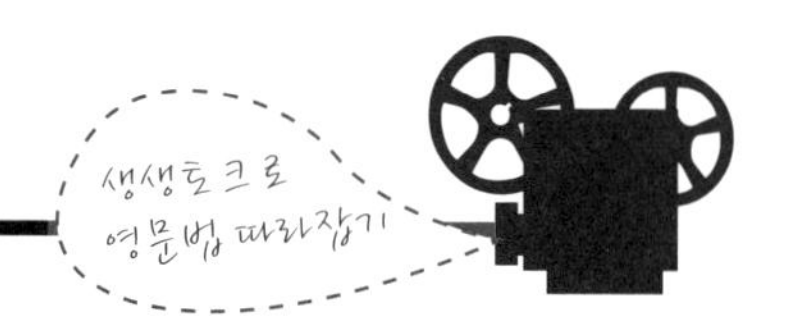

The Johnsons leave Korea for the United States. At the airport.
더 존슨스 리브 코리아 풔ㄹ 디 유나이티드 스테이츠 앳 디 에어ㄹ포ㄹ트

Jr : We've had a wonderful time in Korea.
위브 해드 어 원더ㄹ풀 타임 인 코리아

Js : Thank you very much for everything you've done for us.
땡큐 베리 머치 풔ㄹ 에브리씽 유브 던 풔ㄹ 어스

M : My pleasure.
마이 플레저ㄹ

W : Come to the United States to see us sometime.
컴 투 디 유나이티드 스테이츠 투 씨 어스 썸타임

M : Yes, I'd love to.
예스 아이드 러브 투

Js : We have to go now.
위 해브 투 고우 나우

S : See you again!
씨 유 어겐

M : Good-by!
굿 바이

Have a nice flight!
해브 어 나이스 플라잇ㅌ

Words ++

We've = We have

flight [flait] *n.* 항공여행

존슨 가족은 한국에서 미국으로 떠난다. 공항에서의 대화이다.

Jr : 한국에서 정말 잘 지냈어요.

Js : 여러모로 정말 감사했어요.

M : 천만에요.

W : 언제 미국에 오세요.

M : 예, 기꺼이 그렇게 할게요.

Js : 이제 가야 해요.

S : 또 만나요!

M : 안녕히 가세요.
좋은 비행 되세요!

전치사 at, on, in

시간을 나타낼 때는 전치사 at, 요일이나 특정일을 나타낼 때는 on, 달이나 년, 계절을 나타낼 때는 in을 사용합니다. 그러나 숙어로 사용할 때는 구분 없이 통째로 암기하여 사용합시다. 예를 들면 in the morning, at noon, on Saturday night 등이 있습니다.

품사의 용법해설

1. 명사

사람 · 사물 등의 이름을 나타내는 말이다.

1) 명사는 문장 속에서 주어 · 목적어 · 보어가 된다

① 주어 This **box** is large.

② 목적어 He made this **box**.

③ 보어 He is a **doctor**.

2) 명사에는 셀 수 있는 명사와 셀 수 없는 명사가 있다

① 셀 수 있는 명사 : 단수형과 복수형이 있다.

· 보통명사 : 어떤 종류에 공통되는 이름
a boy, two boys; an egg, five eggs 등

· 집합명사 : 사람 · 사물의 집합체 이름
a family, families; a class, two classes 등

② 셀 수 없는 명사 : 원칙적으로 복수형은 없고 a, an을 붙이지 않는다.

· 물질명사 : 일정한 형태가 없는 물질 · 기체 · 액체 이름
water, air, gold, oil, bread, tea 등

· 추상명사 : 성질 · 상태 · 동작 등 형태가 없는 것의 이름
death, peace, kindness 등

· 고유명사 : 특정한 사람 · 사물의 고유한 이름

Tom, France, Christmas, Sunday 등

3) 복수형 만드는 법

① 어미에 -s를 붙인다.

book**s** dog**s** pen**s** cap**s** 등

② 어미가 s, ss, x, ch, sh, '자음자 + o'로 끝나는 말은 어미에 -es를 붙인다.

bus**es** class**es** potato**es** 등

③ 어미가 f, fe로 끝나는 말은 f, fe를 v로 바꾸고 -es를 붙인다.

leaf → lea**ves** knife → kn**ives** 등

④ 어미가 '자음자 + y'로 끝나는 말은 y를 i로 바꾸고 -es를 붙인다.

lady → lad**ies** city → cit**ies** 등

⑤ 불규칙하게 변하는 것

man → m**e**n child → child**ren** 등

⑥ 단수 · 복수의 모양이 같은 것

sheep fish deer 등

2. 대명사

명사 대신 쓰이는 말이다.

1) 명사의 반복을 피하기 위해 쓰인다

① 주어 **He** is a student.

② 목적어 I like **him**.

③ 보어 This is **he**.

2) **인칭대명사는 격 변화를 한다.**

① **주격 :** 주어와 보어로 쓰인다.

I am a doctor. 〈주어〉

This is **she**. 〈보어〉

② **소유격 :** 소유관계에 쓰인다.

This is **your** book.

③ **목적격 :** 동사나 전치사의 목적어로 쓰인다.

I love **her**.

They went there with **me**.

3) **소유대명사 : '~의 것'(= 소유격 + 명사)**

This is my book, and that is **yours**. (= your book)

4) **재귀대명사 : 〈인칭대명사의 소유격, 또는 목적격 + -self〉의 형태. '~자신'의 의미. 재귀용법과 강조용법이 있다**

Make **yourself** at home 〈재귀용법〉

He **himself** said so. 〈강조용법〉

Do it **yourself**. 〈강조용법〉

5) **지시대명사 : this, that 등**

6) **부정대명사 : some, any, anybody 등**

7) **의문대명사 : what, which, who 등**

3. 동사

'~하다'와 같은 동작을 나타내거나 '~이 있다'와 같은 상태 · 존재를 나타내는 말이다.

Birds **sing**. / She **became** sick.

1) 명사와 문형 : 동사의 성질에 따라 문장은 5개의 문형으로 나눌 수 있다

(S = 주어, V = 동사, C = 보어, O = 목적어)

문형	예문
제1문형 : **S + V**	**The sun shines.**
제2문형 : **S + V + C**	**He became rich.**
제3문형 : **S + V + O**	**I wrote a letter.**
제4문형 : **S + V + O + O**	**He gave me a book.**
제5문형 : **S + V + O + C**	**We called him Jack.**

- 목적어 : '~에게, ~을'이라는 동사의 동작을 받는 말
- 보어 : 주어 · 목적어를 설명하기 위해 보충하는 말

2) 동사와 타동사

목적어를 필요로 하지 않는 동사를 자동사(제1, 2문형의 동사)라고 하며 필요로 하는 동사(제3, 4, 5문형 동사)를 타동사라고 한다. 대부분의 동사는 자동사 · 타동사의 성질을 가지고 있다.

3) 동사의 활용 : 원형 · 과거형 · 과거분사형 3가지가 있다

③ **규칙동사** : 원형에 -(e)d를 붙여서 과거형 · 과거분사형을 만든다.

laugh - laughed - laughed 등

③ **불규칙동사** : 불규칙하게 변한다.

go - went - gone 등

대부분 동사의 현재형은 원형과 같은 형이지만 주어가 3인칭 단수인 경우에는 원형에 -(e)s를 붙여서 현재형으로 한다.

4. 조동사

동사가 나타내는 동작 또는 상태를 더욱 상세하게 설명할 때 동사와 함께 쓰이는 말이다.

1) 조동사가 나타내는 의미

① 동작 · 상태가 미래의 일인지, 진행 중인지, 완료한 일인지를 나타낸다.

will[shall] + 원형 / be동사 + 현재분사 / have + 과거분사

② 동작을(주어가 하는 것은 아니고) 받는 것(수동)을 나타낸다.

be동사 + 과거분사

③ 동작 · 상태에 대한 화자의 판단(기능 · 허가 · 추측 · 의문 등)을 나타낸다.

can[may, must] + 원형

2) 조동사를 쓸 때 주의해야 할 점

① 동사의 원형 · 현재분사 · 과거분사와 함께 쓰인다.

② 조동사를 포함하는 문장에서 의문문은 조동사를 주어 앞으로 내고, 부정문은 조동사 뒤에 not을 붙인다.

You can swim. → Can you swim?

You cannot swim.

③ 조동사를 포함하지 않는 문장에서는 의문문 · 부정문에 조동사 do를 쓴다.

You like apples. → Do you like apples?

You don't like apple.

④ 조동사는 인칭에 따라 형태가 변하지 않는다. 또한 3인칭 단수인 경우에도 -(e)s를 붙이지 않는다.

I[You, They] can speak English. / He can swim.

- 조동사 be, have, do는 인칭에 따라 형태가 변한다.

5. 형용사

명사 · 대명사를 수식해서 그 형태 · 성질 · 수량 등을 나타내는 말이다.

1) 형용사의 용법

① **한정용법** : (대)명사 바로 앞이나 뒤에 놓여서 수식한다.

a **long** pencil / a **beautiful** lady / something **cold**

② **서술용법** : (대)명사의 보어가 되어 설명한다.

Exercise is **important** for our health.

He found the man **alive**.

대부분의 형용사는 한정용법 · 서술용법으로 쓰이지만 한쪽으로만 쓰이거나 의미에 따라 한쪽으로만 사용할 수 있는 것도 있다.

2) 수사 : 수를 나타내는 형용사로 기수와 서수가 있다

기수(개수를 나타낸다) : one, two, three, four …

서수(순서를 나타낸다) : first, second, third, fourth …

4이상의 서수는 원칙적으로 〈기수 + th〉로 만든다.

five → fifth eight → eighth nine → ninth 등은 예외

3) 관사 : 명사 앞에 놓이는 수식어로 그 명사의 의미를 확실하게 해주는 형용사의 일종

① **부정관사(a, an)** : 불특정한 '셀 수 있는 명사'의 단수형에 붙여서 '1개의'라는 의미를 가볍게 나타낸다. 그 외에도 관용적으로 쓰여 다양한 의미를 나타내며, 철자에 관계없이 자음으로 시작되는 말 앞에는 a, 모음 앞에서는 an이 된다.

a book / an apple / A horse is a useful animal. / We have three meals a day.

② **정관사(the)** : '셀 수 있는 명사 / 셀 수 없는 명사' 및 단수형 · 복수형에 관계없이 붙어, 특정한 것을 가리키고 '그, 앞서 말한'의 의미를 this나 that보다 가볍게 나타낸다. 관용적으로 쓰이는 것이 많아서 주의가 필요하다.

Look at **the** man on the bench. / **the** sun / **the** first day of **the** month / **the** young / **the** Thames

6. 부사

동사 · 형용사 · 다른 동사에 관하여 이것을 수식하는 말로 그밖에 문장의 일부 또는 전체를 수식한다. 때 · 장소 · 방법 · 정도 · 상태를 나타내고 〈형용사 + ly〉 형인 것이 많다.

She sang **beautifully**. / It is **very** hot.
Certainly he will go there alone tomorrow.

* 형용사 · 부사의 비교급 · 최상급 만드는 법

	원급	비교급(보다 ~의)	최상급(가장 ~의)
① 대부분의 단음절어 몇 개의 2음절어	**fast**	**faster**	**fastest**
	clever	**cleverer**	**cleverest**
② ① 중에서 어미가 -e로 끝나는 것	**true**	**truer**	**truest**
	late	**later**	**latest**

③ ① 중에서 어미가 '자음 + y'로 끝나는 것	happy	happier	happiest
	early	earlier	earliest
④ 대부분의 2음절 이상의 음절을 가진 말	difficult	more difficult	most difficult
	carefully	more carefully	most carefully
⑤ 특수한 비교급 · 최상급을 가진 말	good / well	better	best
	bad / ill	worse	worst
	many / much	more	most
	little	less	least

- 형용사의 한정용법의 최상급에는 보통 the를 붙인다.

7. 전치사

명사나 대명사 앞에 놓이는 말이다.

1) 전치사의 역할 : (대)명사와 함께 구를 만들고 문장 속에서 형용사나 부사 등의 역할을 한다

We met a girl **with** a bag. 〈형용사구〉

I went there **with** him. 〈부사구〉

- 전치사 뒤에 계속되는 말(bag, him)을 전치사의 목적어라고 한다. 대명사인 경우에는 목적격을 사용한다.

2) 전치사가 나타내는 의미

① '때'를 나타내는 전치사

have lunch **at** none / come back **by** midnight

come here **on** Monday / **from** morning till night

② '장소'를 나타내는 전치사

I met him **at** the station. / I arrived **in** Seoul.

The hotel is **by** the lake. / a map **on** the wall

from Seoul **to** Busan / **over** the mountain

③ 기타 '목표, 행위자, 수단, 재료, 구별' 등을 나타내는 전치사가 있다.

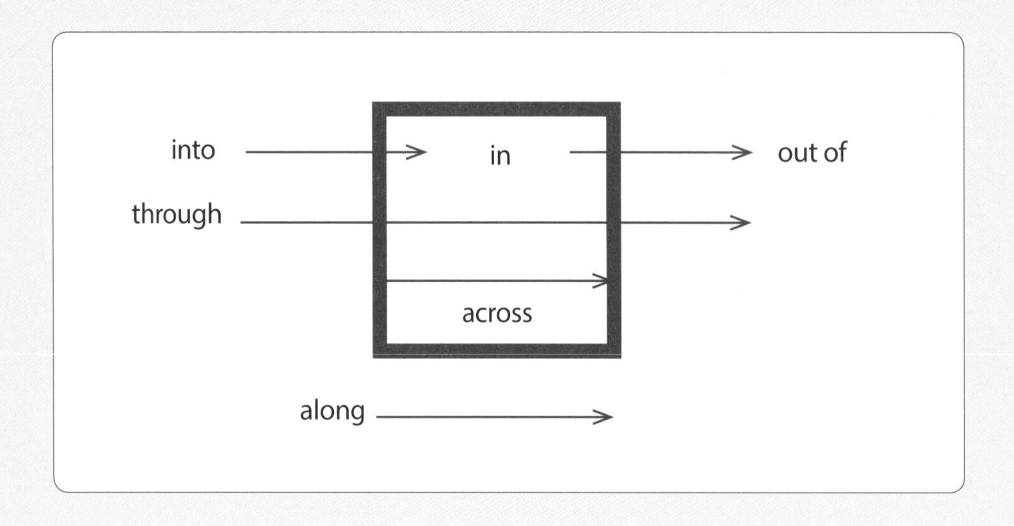

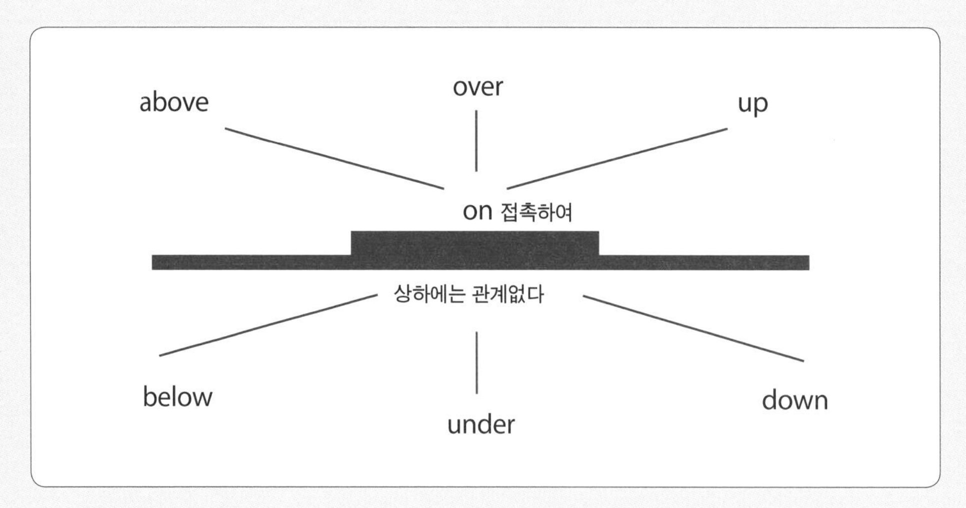

8. 접속사

단어와 단어, 구와 구, 절과 절을 연결시키는 역할을 하는 말[구]. 접속사를 역할로서 분류하면 등위접속사와 종속접속사가 있다.

1) 등위접속사 : 단어 · 구 · 절 등을 대등한 관계로 연결하며 and, but, or, so 등이 있다

a cat **and** a dog / go by bus **or** by bicycle

The sandwich is very nice, **but** I'm full.

2) 종속접속사 : 절과 절을 주종관계로 연결하며 종이 되는 종속절(명사절 · 부사절)을 이끈다

① 명사절을 이끄는 것 : that, it, whether 등

I know **that** he is honest.

I don't know **it**[**whether**] he is honest.

② 부사절을 이끄는 것 : when, while, as 등

When I got up, it was snowing.

Did anyone come **while** I was away?

9. 감탄사

기쁨 · 놀람 · 슬픔 등의 감정을 나타내는 표현. 자연스럽게 나오는 부르는 말. 인사 등의 말로 단독으로 쓰이거나 문장 속에서 다른 부분에서 독립해서 쓰인다.

Welcome. 환영합니다.

Oh, what a beautiful picture. 오, 아름다운 그림이군.

불규칙동사 변화표

규칙동사는 무수히 많지만 불규칙 동사는 한정되어 있다. 여기에 나와 있는 불규칙 동사는 기본적으로 꼭 알고 있어야 할 필수적인 것들이다. 동사의 3단 변화를 잘 알고 있어야 동사의 시제는 물론 수동태, 가정법, 화법 등에서 동사를 마음껏 활용할 수 있다.

원형	현재형	과거형	과거분사형	현재분사형
be	am / are / is	was / were	been	being
become	become(s)	became	become	becoming
bring	bring(s)	brought	brought	bringing
buy	buy(s)	bought	bought	buying
catch	catch(es)	caught	caught	catching
come	come(s)	came	come	coming
do	do / does	did	done	doing
draw	draw(s)	drew	drawn	drawing
drink	drink(s)	drank	drunk	drinking
eat	eat(s)	ate	eaten	eating
feel	feel(s)	felt	felt	feeling
fly	fly / flies	flew	flown	flying
get	get(s)	got	got / gotten	getting
give	give(s)	gave	given	giving
go	go(es)	went	gone	going
have	have / has	had	had	having
hear	hear(s)	heard	heard	hearing
hide	hide(s)	hid	hid / hidden	hiding
hold	hold(s)	held	held	holding
keep	keep(s)	kept	kept	keeping

원형	현재형	과거형	과거분사형	현재분사형
know	know(s)	knew	known	knowing
leave	leave(s)	left	left	leaving
make	make(s)	made	made	making
mean	mean(s)	meant	meant	meaning
meet	meet(s)	met	met	meeting
put	put(s)	put	put	putting
read	read(s)	read	read	reading
ride	ride(s)	rode	ridden	riding
run	run(s)	ran	run	running
say	say(s)	said	said	saying
see	see(s)	saw	seen	seeing
show	show(s)	showed	showed/ shown	showing
sing	sing(s)	sang	sung	singing
sit	sit(s)	sat	sat	sitting
sleep	sleep(s)	slept	slept	sleeping
speak	speak(s)	spoke	spoken	speaking
stand	stand(s)	stood	stood	standing
swim	swim(s)	swam	swung	swimming
take	take(s)	took	taken	taking
teach	teach(es)	taught	taught	teaching
tell	tell(s)	told	told	telling
think	think(s)	thought	thought	thinking
wake	wake(s)	woke	woken	waking
write	write(s)	wrote	written	writing

형용사 · 부사 변화표

1) 규칙변화

① -er, -est를 붙인다.

원급	비교급	최상급
clean	cleaner	cleanest
cold	colder	coldest
cool	cooler	coolest
dark	darker	darkest
fast	faster	fastest
few	fewer	fewest
great	greater	greatest
hard	harder	hardest
high	higher	highest
kind	kinder	kindest
long	longer	longest
loud	louder	loudest
near	nearer	nearest
old	older	oldest
poor	poorer	poorest
rich	richer	richest
short	shorter	shortest
small	smaller	smallest
soon	sooner	soonest
strong	stronger	strongest
tall	taller	tallest

warm	warmer	warmest
young	younger	youngest

② -r, -st를 붙인다.

원급	비교급	최상급
fine	finer	finest
large	larger	largest
strange	stranger	strangest

③ 어미 y를 -i로 고치고 -er, -est를 붙인다.

원급	비교급	최상급
busy	busier	busiest
happy	happier	happiest
pretty	prettier	prettiest

④ 어미 자음을 중복하고 -er, -est를 붙인다.

원급	비교급	최상급
big	bigger	biggest
hot	hotter	hottest
sad	sadder	saddest

⑤ more, most를 붙인다.

원급	비교급	최상급
beautiful	more beautiful	most beautiful
important	more important	most important
interesting	more interesting	most interesting
wonderful	more wonderful	most wonderful

2) **불규칙변화**

원급	비교급	최상급
bad	**worse**	**worst**
good / well	**better**	**best**
many / much	**more**	**most**

구두법

글을 쓸 때 여러 가지 부호의 용법을 구두법이라 하고 피리어드, 콤마 등의 부호를 구두점이라고 한다.

1) 종지부 (period) .

평서문이나 명령문의 문장 끝에 찍는다.

I am a student. 나는 학생입니다.

Stand up. 일어나라.

달러와 센트 사이에 쓴다.

$25.32 25달러 32센트

생략된 낱말에 찍는다.

C.E.O.(Chief Executive Officer) 최고 경영자

a.m.(ante meridiem) 오전

2) 콤마 (comma) ,

문장의 구성 요소의 단락을 나타낸다.

I like pizza, hamburger, and sandwich. 나는 피자, 햄버거, 샌드위치를 좋아합니다.

숫자에 쓰인다.

3,243,547

3) 콜론 (colon) :

'즉'이라는 뜻으로 쓰인다.

These are the main imports: iron and copper. 이것이 주요 수입품입니다: 철과 구리.

4) 세미콜론 (semicolon) ;

등위절과 등위절 사이처럼 콤마의 경우보다 큰 단위의 단락에 쓰인다.

The man's neck is long; his hair is longer. 그 남자의 목은 깁니다; 머리카락은 더 깁니다.

5) 대시 (dash) —

문장을 도중에 일시 중지할 경우에 쓴다.

Go home – they're waiting for you. 집으로 가세요 - 그들이 당신을 기다리고 있어요.

6) 하이픈 (hyphen) -

주로 복합어에 쓰인다.

touch me out 봉선화